JN070473

読者を没入させる世界観の作り方

On Writing and Worldbuilding: Volume I

ティモシー・ヒクソン Timothy Hickson
佐藤弥生＋茂木靖枝 訳

ありふれた
設定から
一歩抜け出す
創作ガイド

FILM ART
フィルムアート社

読者を没入させる世界観の作り方　目次

【凡例】

・長編小説、映画作品、テレビドラマ、テレビアニメーションは『 』、短編小説、テレビドラマおよびテレビアニメーションの各話は「 」、小説、映画、テレビドラマ、アニメーションのシリーズ名は〈 〉で示した。
・本文中で扱われている小説において未邦訳のものは、続く（ ）内に未訳と記した。
・本文中の引用作品で、既訳から引用したものについては、文末の（ ）内に翻訳者名と出版社名と刊行年を記した。
・本文中の映画作品について、初出時に続く（ ）内に製作年を記した。
・［ ］内は著者、〔 〕内は訳者による補足説明を表す。

まえがき

わたしは、「べき」ということばが好きではありません。少なくとも、文章の書き方を指南すると称した本や、動画や講座において、このことばの使われ方が気に入らないのです。「べき」ということばが何度も繰り返されるので、うまく書くための客観的な方法があると考えてしまいそうです。さながら、執筆を司る神々が住まう神殿があって、そこで「著述の十戒」が生み出され、博識で賢き者だけがその意思を見定めることができるかのように。清らかで純粋無垢な願いが叶う本の執筆に挑戦する？　よくもまあ。三幕構成を使わない？　けしからん！　奥行きを感じない人物たちによる吸血鬼ロマンスを書く者よ、その身に災いが降りかかるであろう。

わたしには個人的な見解があります。それを「執筆の哲学」とは呼びませんが（そんなふうに呼ぶと、文学理論の大家気どりのうぬぼれ屋と思われてしまいそうです）、わたしは、作家は自分が読みたいと思うストーリーを書くこと以外、作品においてなんの義務も負わなくていいと考えています。満足度の高いストーリーや、出版されるようなストーリーを書くために使える執筆のテクニックはありますが、それはかならずしも作家にとっての最終目標とはかぎりません。作家がストーリーを書く理由はごまんとあります。健全な精神や個人的な充足感を求めるためだったり、別の物語に対する愛情を示すためだったり（ファンによる二次創作小説のように）、あるいは、別の人のために書くことだってあります（〈パーシー・ジャクソンとオリンポスの神々〉シリーズを執筆したリック・リオーダンのように。リオーダンは当初、ＡＤＨＤと失読症を患う息子ヘイリーのためにそのシリーズを書きはじめました）。ですからわたしは、このシリーズを、どう書くべきかについての指南書ではなく、あるストーリーがなぜ読者を満足させ、あるストーリーがなぜそうではないのか、それについて議論するものだと考えています。

本書では、「べき（should）」ということばを合計九七回使っていますが、そのうち命令形を含んでいるのは一七個だけです。七万一〇〇〇語からなる本全体で、四二〇〇語に一回の割合で文章に関する指示があることになります〔すべて原書での文字数〕。わたしはこの「べき」ということばを軽く扱うことにしています。執筆する動機に「べき」が使用されないと、暗に価値がないと示されるように思えますが、それは完全にまちがっています。わたしにとって書くという行為は、実生活で扱った問題を処理することと言ってよく、それと同時に、他人を魅了するストーリーを執筆したいという願望の表れでもあります。そのため、わたしが生み出す登場人物はよく、わたしも扱ったことのある問題に直面します。それがどんな問題であれ、くわしく調べ、心理に深くはいりこみ、わたしの登場人物たちがどのように対処するかを見届けることで、問題を分解して扱いやすくすることに役立てています。ある意味、奮闘しているときの孤独感がいくらかましになる気がします。

本書は、オンラインで発表した〈オン・ライティング〉シリーズに端を発します。二〇一七年末、いまとはちがってビデオエッセイが全盛の時代のことで、執筆に関するビデオエッセイがとりわけ目立つようになっていました。それより前から、物語や構成、文章技法をテーマにするYouTuberは何人かいましたし、YouTubeを拠点としたライターや作家で構成されるAuthorTubeでは、一〇年近く本を題材にしてきました。二〇一六年から二〇一八年にかけて、同様のトピックを扱うYouTuberが爆発的に増え、動画は何百万回も再生されました。『ハリー・ポッターと賢者の石』の第一章がなぜあれほどうまく機能しているのか、そのことを解明しようと、実際の本をかたわらに置き、動画を視聴しながら熱心にメモをとることは、実に刺激的でした（ヒント　J・K・ローリングは、ストーリーに登場する主だったコンセプトすべてと、事実上すべての主要人物を、状況説明と悟られることなく巧妙に提示しています）。オタクの楽園とは、まさにこのことです。

　しかし、やがてある傾向に気づきました。そうした動画の大半は、インターネットの荒れ地やぬかるみに散在する「五つのヒント」記事のような内容だったのです。「最初の章を書くための五つのヒント。その一、主人公を紹介すること。その二、ワクワクするようなフックを使って書き出すこと……」。これらはヒントとしてはすばらしいものですが、実際には役に立ちません。たしかに、作家は主人公を紹介しないといけません。ですが、どうやって説得力を持たせればいいのでしょう。フックは便利なツールですが、どうやって効果的なフックにするのでしょう。すぐれた本であれまずい本であれ、事実上どの本にもフックはあります。すぐれた本にするためには、ストーリーを展開させて緊張感を高めていくことが重要ですが、どのような問いを提示すれば効果的なフックとなるのでしょうか。多くの作家は、学術用語は知らなくても、このような基本的なことはすでに――たいていは直観的に――理解しています。つまり、こうしたヒントを知らない人であれば、ためになるのでしょうが、平均的な作家にとってはまるで役に立ちません。そのうえ、この手の動画は、たいてい特定のテレビ番組や最近公開された映画をテーマに扱っていて、つまり、どうやってテクニックが成功したのかというよりも、ストーリーを題材にするものが多かったのです。

　ただ、そのようなコンテンツが悪いわけではないことは、はっきり言っておきます。わたしたちが大好きなストーリーを分析できる、新しくてすばらしいメディアであり、形式としては限界がありつつも、ビデオエッセイには価値があり、まだまだたくさんの可能性を秘めています。ただ単に、わたしが求めていたものではなかっただけです。わたしは、物語、ストーリー構成、キャラクターデザイン、世界観の構築について、たくさんの情報源を参照し、会話にじゅうぶんな幅を持たせながら、深く議論したいと考えていました。こうした議論は、五分間の動画にとどめずに、じっくり取り組む必要があります。

長らく〈オン・ライティング〉シリーズを視聴されている人なら、このところわたしが、「五分間の動画にとどめない」議論を乱発していることをご存じでしょう。このようなことが、〈オン・ライティング〉シリーズを制作する動機となり、ひいては本書を執筆するに至る理由になりました。本書はこれまでの成果をまとめたもので、おまけも少しついています。動画の〈オン・ライティング〉シリーズは、漠然としていて役に立たないトピックについてではなく、非常にニッチで具体的なストーリーテリングの要素を、わかりやすく、こまかく分解し、満足のいくストーリーをどうやって書くのかについて、明確で首尾一貫した、綿密な議論を組み立てて構成しました。

驚いたことに、これがうまくいきました。なかでも、ハードマジックシステムという、この執筆業界でもあまり知られていないコンセプトを取りあげた動画の再生回数が、一四〇万回を記録したのです（二〇二四年二月現在、二九〇万回を超えている）。このシリーズとわたしのことを応援してくださったすべての人に心から感謝します。シリーズは軌道に乗り、わたしのオンライン人生において大成功した瞬間を味わいました。わたしのやりたいことは、まさにこれです。教育はつねにわたしの情熱であり、〈オン・ライティング〉シリーズによって、おそらく最高の環境でそれを追い求めることができました。

パトレオン（動画配信サイトのコンテンツ製作者などを対象としたクラウドファンディングのプラットフォーム）の支援者の皆さんには特に感謝しています。皆さんからの資金援助は、文字どおり、わたしが家賃を支払えるかどうかにかかわります。また、この本をまとめるように励ましてくれたり、表紙を手がけるアーティストを選ぶのを手伝ってくれたり、アートそのものを選んでくれたり、さらには、動画のサムネイル選びも手伝ってくれました（サムネイル選びは想像以上にストレスのたまる作業なのです――あきれてもらって結構です）。それと、わたしが執筆した本の一部をなぜか読んでくれたコートニーにも感謝します。その本は、わたしが一〇年間書いたり書き直したりした、できそこないのファンタジー小説です。ちなみに、その本はこの世から消し去ってしまったので、あなたが費やした時間はすべて無駄だったように思えるかもしれませんが、あなたが引きつづき投資してくれたおかげで、わたしは突き進み、YouTubeで動画配信するまでになりました。エリーのことも忘れられません。わたしのキャリアに欠かせない歯車役に徹してくれて、ほぼすべてのスクリプトに目を通し、物語を理解して貴重なフィードバックを与えてくれたことに感謝します。それから、ガールフレンドのローラと、両親のアンナとスティーヴにも心からの感謝を捧げます。両親はわたしをまるごと愛してくれて、夢を追いかけるように励ましてくれました。それは、子供の成長に欠かせないものです。

動画〈オン・ライティング〉シリーズを書籍化したこの本が、ストーリーを組み立てるときに見過ごされがちなポイントを明確にする貴重な教材として役立つことを願ってやみません。

オタクなままであれ
ティム

第１章

プロローグについて

本章で扱う作品

『ハリー・ポッターと賢者の石』
『ハリー・ポッターと謎のプリンス』
『七王国の玉座』
『巨獣めざめる』
『エラゴン　遺志を継ぐ者』
ほか

小説をどのように書き出すかは、作家として決断することのなかでもきわめて重要であり、プロローグを使うべきかどうかを検討することもその一部です。当然ながら、小説の書き出しを決める最良の方法は、作家のスタイルやジャンル、正当な個人的創作の選択によって異なるのですが、読者を惹きつけるという点において、そのほかの方法よりも効果的なプロローグはあります。

プロローグは、第一章の前に置かれるひとかたまりの文章のことで、物語の本筋から離れていることが特徴です。その特徴には、大きく分けてつぎのようなものがあります。

a．視点　ブランドン・サンダースンの〈王たちの道〉シリーズのように、本編とは別の人物の視点から語られる。

b．時間　『ハリー・ポッターと賢者の石』の冒頭が一〇年前の出来事であるように、本編のかなりあとか前の出来事が語られる。ここで、わたしが「冒頭」ということばを使ったのは、『ハリー・ポッターと賢者の石』は、「第一章」からはじまるからなのですが、実際はプロローグとしての役割を果たしています。

c．地理　二〇一八年のNetflixのドラマ『オルタード・カーボン』のように、物語の大部分とは大きく異なる場所が舞台となる。

プロローグに関するこの章では、フック、必要性、状況説明、プロローグにおけるトーン、ムード、テーマの重要性、そしてプロローグの長さについて説明します。

フック

プロローグと第一章があるということは、本の冒頭にフックがふたつあると考えるのがふつうです。これにより作家は、読者に対してふたつの大きな問いを提示することができます。ただ、このダブル・フック構造には、第一章のフックから生じる緊張感をプロローグのフックが損ないかねないという難点があります。これは、ストーリーの謎めいた要素の説明にプロローグが使われている場合にありがちです。

たとえば、『ハリー・ポッターと謎のプリンス』で、こんなフックを使うと考えてみましょう。まずプロローグで、ホグワーツ魔法魔術学校の教師であるスネイプが「破れぬ誓い」を立て、ドラコができない場合はハリーが敬愛するダンブルドア校長を殺すと明言することをフックにします。そして第一章で、ライバル的存在であるドラコが何か企んでいるのではないかとハリーが疑問に思うことをフックにします。これには問題がふたつあります。ひとつ目は、読者はすでにドラコの企みを知っているので、第一章のフックはストーリーに緊張感を与えません。ふたつ目は、プロローグが無意味になることです。ドラコとスネイプは何を企んでいるのだろうと、読者が思いをめぐらせたまま第一章を読みおえるのであれば、プロローグは読者がその疑問に至ることを遅らせるだけだからです。

ダブル・フック構造を使う場合、それぞれのフックが物語において別々の問いをターゲットにすることが重要です。ローリングはそのことを理解していました。『ハリー・ポッターと謎のプリンス』では、読者はまず、「ドラコができない場合、スネイプは何をすると約束したのだろう」と疑問に思います。そして、つぎの章ではそのことについてはまったくふれずに、ダンブルドアがハリーを極秘任務へ連れ出す場面からはじまります。読者は、「ダンブルドアは何をするつもりだろう」と疑問に思います。このふたつのフックは、最終的にはある程度つながってくるのですが、それは本のかなり後半になってからです。プロローグを書くときは、第一章とは異なる問いをターゲットにすることが肝心です。

　また、フックのタイプを考えることも重要です。プロローグの利点は、別の登場人物の視点や、別の時間、別の場所を使って書けることです。要するに、プロローグは、主要な登場人物が知り得ないような、ストーリーの緊張感を高める重要な要素を提示するときに、よく使われます。

　たとえば、ジョージ・R・R・マーティンの『七王国の玉座』では、プロローグはある〈冥夜の守人（ナイツ・ウォッチ）〉の視点から書かれ、〈壁〉のはるか北に棲む、謎めいた〈異形（ジ・アザー）〉が、野人を死から蘇らせたり、死体をもてあそんだり、ナイツ・ウォッチの仲間を殺したりする場面が描写されます。このプロローグによって、読者はファンタジーの要素があることを知るだけでなく、主人公のひとりであるジョン・スノウが最終的に直面する脅威が提示されます。しかし、この超自然的な脅威が登場するのは、ストーリーが開始してから五二番目の章、五〇〇ページもあとのことなので、その時点でジョンは知る由もありません。物語の書き出しでは、中世のリアリズムの核心が厳密に守られていて、ジョンは〈壁〉のそばにもいないし、そこで何が起こっているのかも知りません。プロローグを使わずに、この超自然的な脅威を物語の本筋に導入するのはきわめて困難で、「おい、あのうわさ……氷のゾンビらしきものがいると耳にしたか？」などと、台詞にぎこちない状況説明を混ぜ入れるしかないでしょう。

　プロローグのフックは、主な登場人物が知らないことから、序盤でははっきりと表現できないものであり、なおかつストーリーの緊張感を高めるために不可欠なものであるべきです。

必要性

プロローグは、読者があなたのストーリーを最初に体験するところなので、なぜそこを読む必要があるのかを考えることが重要です（もちろん、ストーリーのどの部分に対しても問うべきことですが）。

ジョン・グリーンの『ペーパータウン』では、平凡な高校生のクエンティンとその幼なじみのマーゴが公園で死体を発見するシーンがあります。このシーンが重要なのは、つぎの一節があるからです。

「離婚する人はたくさんいるけど、自殺までする人はいないよ」

「あたしもそう思う」興奮気味にマーゴが答えた。「あたしもファアニータ・アルバレスにそういったの。そしたらね……」マーゴはノートのページをめくった。「ファアニータがいうには、ロバート・ジョイナーは悩んでたんだって。あたしがどういう意味って聞いたら、ファアニータってば、ただロバート・ジョイナーのために祈りましょう、お母さんにお砂糖を持って帰るんでしょ、っていうのよ。あたし、砂糖？　なにそれ？　っていって出てきちゃった」

僕はまたなにもいわなかった。マーゴにずっとしゃべっていてほしかった——あの小さな声が、事件の核心に迫る興奮ではりつめている。それを聞いていると、僕のなかでなにかすごいことが起きているような気がした。

「たぶん、あたしにはわかる気がする」マーゴが口を開いた。

「わかるってなにが？」

「きっと、ロバート・ジョイナーのなかの糸が、全部切れたのよ」
（金原瑞人訳、岩波書店、二〇一三年、一二一–一三頁）

この一節の最後の台詞には、グリーンがこの本全体を通して一五回も言及する「糸」の比喩が登場します（この比喩は、本の四分の一におよぶ章のタイトルにもなっています）。この比喩がどこから来ているのか、マーゴの考え方を読者に示さなければ、読者はこの作品のテーマと、ストーリーの重要な部分である、クエンティンがマーゴのことをどう思っているのかを、正確に把握することはできないでしょう。これは、物語についての読者の理解に直結することであり、それをくわしく説明することは、説明的な文章で語られるよりもはるかにわかりやすいです。

それでは、登場人物のバックストーリーにもとづいたプロローグが「必要」なのはどんなときでしょうか？トラウマとなるような過去があるなら、読者はそれを知るべきだからプロローグで書いておくべきだ、という説にうなずきたくなることもあるでしょう。ですが、たいていの場合、バックストーリーは物語の後半でフラッシュバックとして挿入するほうが効果的です。なぜなら、登場人物の過去の出来事は、読者が小説の書き出しを理解する役には立たないからです。

たとえば、『オルタード・カーボン』の第一話で、バックストーリーのどんな要素が提供されているか考えてみましょう。主人公のタケシ・コヴァッチが、むかしのオリジナルのままの姿で登場し、国軍に捕らえられるのですが、タケシは軍のことを認識しているようです。このようなバックストーリーの使い方は、二五〇年後、同じ人物が新しい体で目覚めるという、そのつぎのシーン、つまり「第一章」への流れを難なく作り出しています。同じ人物がふたつの体に分かれているのを見るのは、視聴者にとっても登場人物にとっても衝撃的なことであり、このストーリーの大前提である「人は新しい体に意識を移すことができる」ことを理解するのに大いに役立ちます。プロローグのシーンでは、主人公と反乱軍とのかかわり、妹との関係、軍事訓練については書かれていません。どれも第一章を理解するのに関係ないからです。

プロローグが必要なのは、その時点から先のストーリーを理解するための基本的な要素を、状況説明よりもはるかにインパクトのある形で提示できるからです。バックストーリーによるプロローグを検討する場合は、第一章の理解に直結する要素のみを提示することが重要です。物語のはるか後半に関連することは、メインストーリーにとっておきましょう。[*1]

状況説明

編集者、エージェント、出版社、そして読者がプロローグに対していだく主な批判に、特にSFやファンタジーにおいて、プロローグは、魔法の剣がどうやって作られたのか、闇の帝王はどうやって倒されたのか、宇宙ジャガイモはどうやって誕生したのかといった、状況説明をただ放りこんでおく場にすぎないというものがあります。実際に、一部の作家は、作品の世界に関すること、歴史、政治、法律、魔法の仕組みといった状況説明を伝える場として、もっぱらプロローグを使います。この方法は、作家にとっては抗いがたい魅力があるかもしれませんが、多くの人は説明書のような文章を楽しめません。また、状況説明だらけのプロローグが一般的に不評だと知っておくことは重要ですが、いっさい入れるなと言うつもりはありません。それでは、プロローグで状況説明をする方法として、謎を軸にする手法と、心情を軸にする手法のふたつを説明します。

謎を軸にする

Ｊ・Ｋ・ローリングの『ハリー・ポッターと賢者の石』において、「第一章」は実質プロローグと考えてもよく、本編とは異なる視点から書かれ、ずっと前の過去が舞台です。それと同時に、つぎのような状況説明の断片を巧妙に伝えています。

a．リリーとジェームズは死に、息子は生き残った。
b．闇の帝王は倒され、少年はなんらかの形で巻きこまれた。
c．魔法使いは、魔法を使えない人のことを「マグル」と呼び、マグルから隠れて暮らす魔法使いの世界がある。
d．魔法使いたちは奇妙な服を着て、何年も戦争をしている。

ローリングはこれらのことを、謎めいた雰囲気を交えて伝えています。

「（中略）一人息子のハリーを殺そうとしたとか。でも――失敗した。その小さな男の子を殺すことはできなかった。なぜなのか、どうなったのかはわからないが、ハリー・ポッターを殺しそこねた時、ヴォルデモートの力が打ち砕かれた――だから彼は消えたのだと、そういう噂です」（松岡佑子訳、静山社、一九九九年、二二頁）

ストーリーにはわからないことが多く、第一章では状況説明の一部分しか伝えらないという奇妙なことが起こります。それらが相まって、謎めいた未完成のパズルができあがり、読者は与えられた状況説明よりも疑問に集中することになります。

心情を軸にする

ジョージ・R・R・マーティンの『竜との舞踏』のプロローグには、視点人物であるスターク家の次男ブランと同じ皮装者（スキンチェンジャー）のヴァラミアという、傷つき怪我を負った人物が登場します。マーティンはプロローグの大半をヴァラミアの人物描写に費やし、その動機、人生の何を疎んじているのか、九回死んだことをいかに覚えているのか、過去の栄光の日々をいかに懐かしんでいるのか、そしていま、いかに疲れ果て消耗しているのか、そのような心情の動きを読者に伝えています。読者はヴァラミアの体験に引きこまれていきます。ストーリーの焦点は、最終的に死を受け入れる直前までのヴァラミアの人生という旅路にあります。しかし同時に、マーティンは、スキンチェンジャーの能力がどのように作用するのかについて、たくさん状況説明をしています。

a．動物の体のなかにあまりにも長く閉じこめられると、正気を失うことがある。
b．スキンチェンジャーは頻繁に変化を重ねると、往々にして人間性をなくす。
c．力が弱まると、ほかの体へ飛びこめなくなる可能性がある。
d．なかにいる者を追い出すことができる強者（つわもの）もいる。

当然ながら、これらの要素（およびその他の要素）は、その後のブランのストーリーラインで重要な意味を帯びるようになります。

『ハリー・ポッターと賢者の石』も『竜との舞踏』も、作者が伝えているのは、物語の枠組みを説明する重要な部分のみです。ローリングは、一六九二年の「国際魔法使い機密保持法」についてはふれずに、主人公ハリーの人生を決定づける重要な出来事について語ります。マーティンは、森の子らとスキンチェンジャーの関係についてはふれずに、このあとブランが直面する問題を説明するのに不可欠ないくつかの要素を、プロローグ全体を使って伝えています。

独特のトーン、ムード、テーマ

プロローグは、第一章では伝えにくい独特のトーン、ムード、テーマを確立するのに役立ちます。たとえば、ジェイムズ・S・A・コーリイは、『巨獣めざめる』でプロローグを使い、怪奇小説の先駆者であるラヴクラフトの作品を彷彿させるミステリーとホラー要素で特徴づけています。これは、主流のSF小説ではなかなか珍しい手法です。

> 拷問室か。（中略）血管や気道を思わせる無数の管状のものが這っているのだ。一部は脈動している。（中略）生きた肉。突き出した丸いものがジュリーのほうに動いた。全体の大きさにくらべるとまるで足の指や手の小指のように小さい。
> ダレン船長の頭だった。
> 「たすけてくれ……」
> （中原尚哉訳、早川書房、二〇一三年、上巻一三－一四頁）

ダレン船長のこの最後の台詞は、プロローグで唯一の台詞であり、はじめから終わりまで読者につきまとう不気味で陰鬱な沈黙を補強し、船内を移動する登場人物の視点に立たせます。このプロローグは描写表現が多く、読者が最も不安に感じるもの、たとえばこの忌まわしい肉塊のような物体についての描写が長々とつづきます。このようなラヴクラフト的ホラームードを第一章で伝えるのは容易なことではありません。プロローグでは、テーマの展開に欠かせない比喩、トーンを支える会話、ムードを確立する描写など、そのストーリーならではの特徴を際立たせることばや描写に集中しましょう。

長さ

プロローグの長さについては、ほとんどのエージェントや編集者は短くするようにアドバイスしています。たとえば、テレビアニメシリーズの『アバター　伝説の少年アン』のプロローグは、平均的な一話の長さが約二二分であるのに対し、わずか一分一七秒です。

検討するべき事例

クリストファー・パオリーニの『エラゴン　遺志を継ぐ者』を、ドラゴンライダーと魅惑的なエルフの堂々たるファンタジー小説として夢中で読んだ人は多いでしょう（わたしもそのひとりです）。ですが、批判の目をもって考察し、そこから学ぶことをおそれてはなりません。「恐怖の影」と題されたプロローグでは、エルフのアーヤが邪悪な影のダーザに追い詰められる場面が描写されます。逃げ場を失ったアーヤは卵を西へ送り、第一章でエラゴンがその卵を見つけます。

a．この本には、ふたつの異なるフックがあるか？

よく考えてみると、そうではないことがわかります。プロローグのフックで、読者は「この魔法のサファイアの石は何か？」と疑問に思います。では、第一章で生じる疑問はというと、やはり「この魔法のサファイアの石は何か？」です。この小説の表紙が青いドラゴンであることを考えれば、どちらもたいした謎ではありません。

b．プロローグは必要なのか？

プロローグでは、ダーザとアーヤがそこにいることが語られますが、それ以上のことは語られません。このプロローグで、大きな葛藤が提示されますが、その葛藤は、第一章でほとんどすぐに関わってきます。強いて言えば、エラゴンがこの本の後半で見る夢をいくらか解明します。エラゴンはアーヤの夢を見ますが、その少女がだれなのかは知りません。しかし読者は、エラゴンが夢見る謎めいた黒髪のエルフの少女が、プロローグに登場する謎めいた黒髪のエルフの少女であることを少しも意外に思いません。

c．状況説明をどのように伝えているか？

パオリーニの肩を持つとすれば、このプロローグは単に状況説明を放りこんでおく場にはなっていません。ですが、ダーザが何者であるかという以上のことを伝えていないし、ダーザはさほど興味深い人物ではないのです。

d．独特のトーン、ムード、テーマを伝えているか？

『エラゴン　遺志を継ぐ者』のプロローグが酷評される理由の一端はこれにあります。物語に伝統的なトールキンふうの雰囲気を添えてはいても、読者の意表を突くようなことを何も伝えていないのです。ファンタジーにおいて、『指輪物語』のようなストーリーがジャンルを定義した役割を考えると、そうではないと言われないかぎり、読者はファンタジーに対する思いこみを捨てることはできません。

まとめ

1. プロローグと第一章で、物語の緊張感を高める別々のポイントをターゲットにしたフックをふたつ用意しましょう。フックを使用する場合は、主要な登場人物の経験を通じて効果的に伝えることはできなくても、読者の今後のストーリーに対する期待と体験の根幹をなすものでなければなりません。
2. プロローグは、必要性のあるものにしないといけません。バックストーリーによるプロローグは、読者が最初の章を理解するのに役立つことのみを提供するのであれば、一般的に効果があります。
3. プロローグを状況説明だらけにしないこと。心情や謎を軸にして、状況説明を織り交ぜていきましょう。
4. プロローグは、独特のトーン、ムード、テーマなど、第一章では効果的に確立できないものを伝えるために使用できます。
5. 結局のところ、プロローグは、どうしても必要であり、しかもうまく書ける場合を除いて、書かないほうが賢明です。とはいえ、あなたが伝えたいストーリーを書きましょう。これが作家として担う唯一の責任です。

注

＊1　皆さんのなかには、フックにおいて説明したことと明らかな矛盾があることに気づいた人もいるかもしれません。『七王国の玉座』のプロローグは、第一章とは直結しません。ここで理解すべきなのは、プロローグが効果的だったり「必要」だったりする理由は、数多くあるということです。また、ジョージ・R・R・マーティンは、プロローグを使ってストーリーのファンタジーの要素を明らかにしておいて、中世のリアリズムへ飛躍する前に、それを読者に伝えたかったのかもしれません。

第2章

最初の章について

本章で扱う作品

『移動都市』
『一九八四年』
『リア王』
『アルテミス・ファウル　妖精の身代金』
『アバター　伝説の少年アン』
ほか

プロローグを使うかどうか、使うならどうやって書くかはもう決めましたね。それでは、テーマを最初の章＝第一章に移しましょう。多くの読者がプロローグを読み飛ばしてしまうという事実を踏まえると、最初の章はきわめて重要です。第一章は、作家にとって試験のようなものです。書くことはとてつもなくむずかしいのに、作品には欠かせないからです。読者は第一章を読んで、その本を読みたいかどうかを判断します。第一章は、主要人物を紹介する場であり、あなたの伝えたいことが興味深いものだということを、読者に納得させる場でもあります。

でも、どうやって書けばいいのでしょう。この疑問に直面してデスクに突っ伏した経験があるなら、ご安心を。あなたも一流作家の仲間入りです！　枕に顔をうずめて、書き方がわからないとわめくのは、何よりも作家になるための必須条件です。まずは、ミニ三幕構成、書き出しの一節、トーン、フックという四つの要素に分解して考えることにしましょう。

ミニ三幕構成

本をスタートさせる最もよい方法は、ジャンルやスタイル、個人的な創作上の選択によって異なりますが、一般的な読者に受け入れられやすい設定は存在します。ほとんどの作家は、三幕構成にある程度慣れています。三幕構成は、尋ねる相手によってさまざまな形式があるのですが、つぎのようなごくシンプルなバージョンを第一章の構成に役立てることができます。

1. 問題の提示
2. 問題の探求
3. 問題の解決

たとえば、フィリップ・リーヴの小説『移動都市』の第一章で、主人公のトムは、移動都市ロンドンがソルトフックの町を追いかけて疾走しているようすを見物に行くことを許されていません（問題の提示）。トムは、師匠と口論し、なぜそんなに見たいのか考えます（問題の探求）。そして、トムはこっそりその光景を見にいきます（問題の解決）。より活動的な例としては、リック・リオーダンの『パーシー・ジャクソンとオリンポスの神々　盗まれた雷撃』があります。パーシーの数学教師は、実はパーシーを殺そうとしている怪物です（問題の提示）。パーシーは怪物と戦います（問題の探求）。パーシーは誤って怪物を殺してしまいます（問題の解決）。

ミニ三幕構成がうまくいく理由は、第一章で探求すべき興味深い葛藤を生み出せるだけでなく、これからどんな種類の葛藤が待ち受けているのかを読者に示すことができるからです。主人公がどんなふうに考えて葛藤に取り組むのかを見せることで、受け身ではない積極的な主人公だと、最初から示せるわけです。また、提示する問題は、内的なものでも外的なものでもかまわないことを覚えておいてください。

第一章で登場人物が直面する問題を選ぶときは、より広い範囲のストーリーに通じる奮闘を反映するべきです。『移動都市』では、ロンドンとソルトフックの追跡劇によって、この世界では資源不足が大規模な紛争の原因であり、その結果、資源をめぐって都市が互いに攻撃しあっていることを、すぐに理解できます。それによって、ポスト黙示録的な設定が確立され、世界観の構築が補強されます。同様に、『パーシー・ジャクソン』の場合は、パーシーがギリシャ神話の怪物と戦う事態が待ち受けていることを、すぐに理解できます。それによって、ファンタジー・アドベンチャーというジャンルが確立されます。ストーリーの葛藤がキャラクター主導によるものの場合、第一章の葛藤は内省を多く含んだものにしましょう。物理的なことに対立させると、読者がストーリーの雰囲気を誤解してしまう可能性があります。

また、ミニ三幕構成を使うことで、問題に対する登場人物の取り組み方を示せることも重要です。その人物は自信を喪失しているのか、それとも自信過剰なのか、身体能力が高いのか低いのか、正直者なのか敵対者をだまそうとしているのか、など。登場人物の一面を紹介するのに役立つうえに、その人物に癖があったり、世界に対する独特な視点を持っていたりすれば、興味深い人物に仕立てて、並みのヒーローやヒロインと区別させることができます。『パーシー・ジャクソン』では、パーシーは自分の直感に頼っているものの、自己不信に陥っていることがわかります。オーエン・コルファーの『アルテミス・ファウル　妖精の身代金』では、オープニングシーンでアルテミスが妖精をだますことで、アルテミスが敵を操り、実用主義で感情を表に出さないタイプであり、天才級の知能の持ち主であることがわかります。基本的に、ミニ三幕構成は、読者に状況説明の羅列のように感じさせることなく、「だれが」、「何を」、「いつ」、「どこで」、「なぜ」、「どのように」を説明することができます。

別の方法として、多くの作家は第一章で提示する問題を、主人公をストーリーに登場させるきっかけとなる出来事として使います。これはまったく問題ありません。ただし、この方法を選んだ場合、主人公はミニ三幕構成の解決部分でかならずしも問題を解決しなくてもよく、ブランドン・サンダースンの〈王たちの道〉シリーズのように災難で締めくくることもできるし、単に主人公がこの問題を解決することを決意して、その探求がはじまる、というようにもできます。

おもしろいことに、第一章で提示する問題は、「プレシーン」と呼ばれる伏線の一種として使われることもあります。プレシーンとは、重要な出来事を暗示するちょっとしたエピソードをプロットの序盤に入れておくことです。伏線とプレシーンのテクニックについては、第4章でくわしく説明します。

ストーリーの書き出し

本の第一章より書くことがむずかしいものはそんなにありませんが、そのひとつが書き出しの一節であることはまちがいありません。書き出しで、設定、トーン、キャラクター、声、ムード、葛藤、緊張感、ドラマ、ジャンル、テーマ、ミステリー、あるいは、ミトコンドリアが細胞の動力源であるという事実を強調することができます。どんな書き出しにするかは、あなたが書きたいストーリーの種類によります。手始めに、あらゆる小説のなかでも最高の書き出しである（とわたしは思っています）、ジョージ・オーウェルの『一九八四年』を見てみましょう。

四月の晴れた寒い日だった。時計が十三時を打っている。

（高橋和久訳、早川書房、二〇〇九年、七頁）

この書き出しで、読者は好奇心をかき立てられます。というのも、まるで意味を成さないからです。イギリスの読者にとって四月は春であり、希望や生命の象徴のはずなのですが、その日は寒いと表現され、季節が冬であるか、暗いムードが示唆されています。時計が一三時を打っているという事実は、この場所、このディストピア社会で何かがまちがっていることを読者に即座に告げるものです。なんといっても、時計は一三時を打ちませんし、そのうえ一三は不吉な数字、不吉な兆候として知られています。オーウェルは、天候と季節、事実と虚構を並べることで、登場人物のみならず読者もまた、オーウェルが築きあげた世界のあらゆることをうたがうべきだというテーマを提示しています。

より最近の例として、フィリップ・リーヴの『移動都市』の書き出しを見てみましょう。

暗い荒れもようの春の午後――。ロンドンは小さな岩塩採掘都市を追いかけて、旧北海の干上がった海底を疾走していた。

（安野玲訳、東京創元社、二〇〇六年、一三頁）

リーヴは書き出しの一行で、主に設定を確立しています。「干上がった海底」ということばによって、枯れ果てて生気のないディストピア的未来の世界をオープニングから確立し、春の午後を「暗い」と描写することで、干上がった北海とともに黙示録的な雰囲気を作り出しています。また、都市が互いに追いかけあうという、読者の気を引くユニークで非日常的なアクションも提示されています。これは、そのあとのストーリーの葛藤全体を決定づける前提であるとも言えます。アクションシーンではありますが、これまでに見たものとはまるで異なります。

最も説得力のある書き出しは、簡潔で余計なことが書かれていません。そのような書き出しを執筆するには、多くの場合、中心となるアイデアをひとつに絞ると効果的です。『一九八四年』ではテーマとなる問いを提示し、『移動都市』では設定を提示しています。ストーリーの興味をそそる要素をなるべく多く盛りこみたくなる気持ちはわかりますが、書き出しの中核となる要素をひとつにすることで、ストーリーを際立たせるものに読者の焦点を絞ることができます。その要素は最も重要なものでなくてもかまいませんが、興味をかき立てる中心的な要素であるべきです。スティーヴン・キングの『ダーク・タワーI　ガンスリンガー』では、キングはつぎのように書き出しています。

黒衣の男は砂漠の彼方へ逃げ去り、そのあとをガンスリンガーが追っていた。

（風間賢二訳、新潮社、二〇〇五年、三五頁）

この書き出しでは、主人公と敵対者の対立が提示されています。ちなみに、わたしが「書き出し」ということばを使うときは、最初の段落またはそれ以上を含むことがあり、その場合も同じルールが適用されます。コルネーリア・フンケの『魔法の声』では、本は魔法だという中核のアイデアを確立するのに二段落を費やしています。ショッキングな要素や興味をそそる要素を含め、ストーリーの背景にあるトーンや理想を密接に反映した書き出しにするのは困難なことから、ストーリーを実際に設定しない奇妙な出だしにしてしまいたくなります。その一例が、イギリスで二〇〇六年に放送された『ドクター・フー』のエピソード「永遠の別れ」で、ドクターと旅するコンパニオンのローズ・タイラーが、冒頭のナレーションで「これは私の死の物語」と語ります。このオープニングの問題点は、緊張の中心点を設定しておきながら、それが意味のある形で結実しないことです。ローズ・タイラーは「死ぬ」ことはなく、異世界へ飛ばされ、故郷の世界で「死者」として記録されるだけなので、視聴者はだまされた気分になります。このオープニングは、煽情的なタイトルを掲げてクリックを誘う広告のように感じられます（「この先を読めば、ローズの死因がわかります！」）。書き出しで興味をそそるためにストーリーの要素を誇張すると、現実が明らかになったときに、読者に不満な思いをいだかせ、緊張感を偽ったり、ストーリーの基盤を誤解させたりすることになります。

編集者であり、みずからも執筆術について多くのことを語ってきたエレン・ブロックは、つぎのように述べています。

トーン

本のためにできる最善のことは、最初の章がそのあとの章のトーンを適切に表すようにして、本全体をまとまりのあるように見せることです。

ジョン・グリーンの『さよならを待つふたりのために』では、最初の章で主人公であるヘイゼル・グレイスの頭上に死の予感が漂っていることが提示されますが、比較的コミカルで皮肉まじりの調子で書かれています。読者はこの第一章から、ストーリーが深刻な問題を扱うことになると理解し、たとえ軽妙な調子で語られていたとしても、陰鬱なトーンを感じとります。このトーンは、ストーリーのその後の展開に一致するものです。

だからといって、のちに悲劇が待っていたら、第一章を陽気に書き出していけないわけではありません。予想外の展開には、多くの場合、トーンの劇的な変化がともないます。しかし、先ほど議論した、第一章で提示する問題が、トラウマとなるべき経験であるにもかかわらず、第二章が明るく喜劇的である場合、読者をいら立たせかねないということは指摘しておきます。トーンにすぐさま矛盾が生じ、この本は何をめざしているのだろうと読者は疑問に思います。『ハリー・ポッターと賢者の石』の第一章（前の章で述べたように、これはプロローグに近いものです）で、ハリーの両親の死というトラウマとなるようなシーンを省略した理由のひとつは、そこにあります。ヴォルデモートが倒されたお祝いや、風変わりなダンブルドアと陽気でがさつなハグリッドの描写へただちに移るほうが、その後のストーリーのトーンに一致します。

ここでは、トーンについて深く議論するつもりはないのですが、簡単に説明しておきましょう。トーンはさまざまな方法で生み出すことができ、たとえば、つぎのようなものがあります。

a．イメージ　風雨が木々の葉を引きちぎる光景に焦点をあてることで、悲観的なトーンが確立され、嵐を生き延びた一輪の美しい花に焦点をあてることで、楽観的なトーンが確立されます。

b．問題の提示から生じる利害関係　シェイクスピアの『リア王』のオープニングシーンで、末娘のコーディーリアは父王への愛情を示す必要に迫られます。コーディーリアが相続するはずの全財産が危うくなることで、シェイクスピアの四大悲劇に共通する重苦しいトーンが確立されます。

基本的に、トーンとは、何が起こるかというよりも、それをどのように表現するかということです。イメージ、語法、性格描写、強調などのツールを使って、読者のなかに呼び起こす感情のことです。一般的に、第一章のトーンは、その後のストーリーのトーンをある程度反映したものにすると、スムーズに受け入れられます。

オープニングのフック

第一章についてよくある誤解は、きっかけとなる出来事とフックを混同していることです。きっかけとなる出来事とは、それがなんであれ、登場人物を冒険へ駆り立てるものです。一方、フックとは、読者の興味をそそり、もっと知りたいと思わせるストーリーの最初の瞬間のことです。

そのすばらしい例として、『アバター　伝説の少年アン』を取りあげて説明します。きっかけとなる出来事は、水の部族の少年サカとその妹のカタラが、氷のなかに閉じこめられたアバター、アンに偶然出くわしたことです。それによって、主人公と敵対する勢力が引き寄せられ、対立が生じます。そしてフックは、カタラがはじめて「水の技」を使ったときだと言う人もいます。これは魅力的な瞬間ですが、実は、フックはそれよりもっと前にあります。それは、オープニングのナレーションで、カタラがつぎのように説明するときです。「でも、いちばん必要なときに、彼（アバター）は消えた」。視聴者はすぐに、「アバターはなぜ消えたのか」、「どこへ行ってしまったのか」と疑問に思います。それらの問いに対する答えは、部分的にはきっかけとなる出来事のなかで、部分的にはその後のエピソードのなかで示されます。

ほとんどの場合、フックはつぎのいずれかを実行します。

1. 読者がもっと知りたいと思うような問いを投げかける。
2. 賛否両論を巻き起こすような主張を提示する。

『アバター　伝説の少年アン』は、前者の例です。後者の最も有名な例は、ジェーン・オースティンの『高慢と偏見』で、つぎのような書き出しです。

相当の財産をもっている独身の男なら、きっと奥さんをほしがっているにちがいないということは、世界のどこへ行っても通る真理である。

（富田彬訳、岩波書店、一九九四年、上巻九頁）

注意すべきは、第一章にきっかけとなる出来事をかならずしも含めなくてもいいということです。第一章にあることが多いのですが、きっかけとなる出来事は、第二章や第三章にあることもよくあります。しかし、第一章を魅力あるものにするには、フックが必要です。さらに、はっきりさせておきたいのは、第一章の書き方は無限にあるので、第一章の書き方というテーマで論じることもまた無限にあるということです。ほとんどの作家は、第一章で登場人物を紹介し、トーンを示し、設定を構築しなければならないことを知っています。しかし、それらの方法を学ばないかぎり、アドバイスはあまり役に立ちません。ここでは、第一章に欠かせないけれども、よく見落とされがちな要素に注目して説明しました。

まとめ

1. ミニ三幕構成を使うことで、ストーリーの世界でどんな問題が発生し、登場人物たちがどのように取り組むのかを示しながら、設定や登場人物を興味深い方法で提示する機会を得ることができます。
2. 効果的な書き出しの傾向として、簡潔で、余計なことが書かれていないことが挙げられます。そのような書き出しを執筆するためには、ストーリーをおもしろくする中心的な要素（葛藤、設定、テーマなど）をひとつだけ提示します。ただし、そのアイデアを誇張して、非凡でおもしろく見せ、あとで平凡であることが明らかになるような展開は避けましょう。
3. 最初の章のトーンをその後のストーリーと矛盾しないように設定すると、スムーズにつながります。トーン

4.

は、利害関係、イメージ、ことばづかい、強調など、さまざまなツールを使って生み出すことができます。フックときっかけとなる出来事は、それぞれ別のストーリー要素です。第一章にはフックが必要です。フックは通常、問いを投げかけたり、不変の真理を主張したりすることで提示されます。

第3章

状況説明についての考察

本章で扱う作品

『マトリックス』
『ハリー・ポッターと賢者の石』
「堂々めぐり」
『スター・ウォーズ エピソード1／ファントム・メナス』
『インセプション』
ほか

状況説明をおこなうことは、自分の兄や姉の結婚式で彼らをいかに愛しているかを話すようなものです。やっかいですが、やらなくてはいけないことです。状況説明はとても重要ですので、簡潔かつ楽しくお伝えする方法がありません。じっくり見ていきましょう。

状況説明とは、要するに、ストーリーを理解するために必要な背景情報です。これにあたるのは、登場人物のバックストーリーや、あなたが考えたマジックシステム、敵対者がどのようにして権力の座についたか、あなたのSF世界の主要なテクノロジーはどう機能するか、高度な知性を持つレミングに国家がどのように支配されているか、いかにしてカボチャを経済基盤とする都市国家が成り立つかなど、ほぼあらゆることです。たとえば、ウォシャウスキー姉妹の『マトリックス』（一九九九）では、訪ねてきたネオに対してモーフィアスがつぎのように説明する場面があります。

「マトリックスは至るところに存在する。私たちを取り囲むすべてだ。この部屋の中にもある。窓から外を見たときにも、テレビをつけたときにもある。（中略）きみの目を真実からそらすために作られた虚像の世界なのだ……」

「説明を書き連ねるのはよくない」というアドバイスをよく耳にすることと思いますが、非常に残念なことです。

はっきり言って、これはまちがっています。状況説明は、読者がストーリーやあなたが構築した世界観を理解するために欠かせないたいせつな情報です。問題なのは、状況説明を論理的かつおもしろく、印象的で、ストーリーの背景として真実味があるものにするのが困難だということです。状況説明そのものがよくないのではなく、どのように伝えるかが重要なのです。このことを頭に入れたうえで、状況説明の処理について三つに分けて考えていきましょう。

1. 状況説明をどう処理するか。
2. どのような情報を伝えるか。
3. いつ伝えればいいのか。

この三つについて、視点人物、物語のヤマ場、「プールで泳ぐローマ教皇」、人物描写、対立関係、周辺環境の描写、問題解決のための状況説明、動機づけのための状況説明、読者の尊重、好奇心を刺激するか親近感を持たせるか、どんでん返し、はじまりの章の役割、複数の登場人物、といった側面から見ていきましょう。

状況説明をどう処理するか1 —— 視点人物

状況説明において、たびたび問題となるのは、読者は知らないが、登場人物たちはすでに知っている情報を伝えようとする場合です。たとえば、カサンドラ・クレアの〈シャドウハンター〉シリーズの一作目『シャドウハンター　骨の街（シティ・オブ・ボーンズ）』では、妖魔を狩るシャドウハンターたち、妖魔、そして主人公のクラリーがひとつの部屋にいるおかしな場面があります。クラリーは隠れているので、だれも彼女がそこにいることを知りません。シャドウハンターのひとりは妖魔についてこう説明します。

「宗教的にいえば、地獄の住人、サタンのしもべ。クレイヴ〔シャドウハンターの管理組織〕の使命という観点からいうなら、この次元の外からやってきた邪悪な魂だ」（杉本詠美訳、東京創元社、二〇一一年、上巻二三頁）

この処理は感心できないものです。この部屋にいる登場人物は、隠れているクラリー以外全員が事情をわかっているのですから、こんな説明をするのは不自然です。この教科書のような状況説明は、ただ読者に教えるためのものでしかありません。実際、すぐあとに「誰もそんな言葉の説明なんて必要としてないよ」と、これがいかにぎこちないものだったかを認める台詞さえあります。

こうした問題を避けるため、よく使われるのが、何も知らない視点人物です。この人物は、魔法やテクノロジー、あなたが構築した世界観について何も知らないので、読者と同じように、わかりやすいことばですべてを説明する必要があるのです。『エラゴン　遺志を継ぐ者』のエラゴン、『インセプション』（二〇一〇）のアリアドネ、『魔術師の帝国』のパグ、ハリー・ポッター、ルーク・スカイウォーカー、フロド・バギンズなどがその例です。一二歳のころ、自分もその住人となることを想像して夢中になった、さまざまなファンタジーやSFの世界を思い出してみましょう。

視点人物が何も知らない状態なのですから、状況を説明する正当な理由ができると同時に、読者にも無理なく情報を伝えることができます。読者も自分の世界で似たような疑問を持つはずだからです。注意してほしいのは、何も知らない視点人物を使うだけでは状況説明にまつわる問題をすべて解決することはできないということです。

何も知らない視点人物に対して論理的に説明するのは、ひとつの方法ですが、それだけではおもしろいものになりませんし、印象にも残りません。何も知らない視点人物も使い方によっては、状況説明を退屈なものにしてしまう可能性があるので注意が必要です。

それでは、何も知らない視点人物のよい例をご紹介しましょう。テレビアニメ『アバター　伝説の少年アン』の主人公アンです。この作品で最も重要な背景は、一〇〇年前「火の国」が戦争をはじめ、世界の調和が崩壊したことです。「気の民」と呼ばれる遊牧民は滅亡させられ、たったひとり生き残ったのがアンでした。シリーズ冒頭において、アンはこの背景情報について何も知らない視点人物です。「水の部族」の兄妹サカとカタラに発見されるまで、アンは一〇〇年のあいだ氷のなかに閉じこめられていました。第三話「南の気の寺」では、カタラがアンに真実を説明しなければならなくなります。この場面の脚本は、とてもよく作られています。カタラは、アンの仲間は殺されてしまったかもしれないから覚悟しておくようにと繰り返し言い聞かせますが、アンは耳を貸しません。きっとどこかに隠れているだけだと言い張っていたアンでしたが、やがて、恩師であるギアツォの亡骸を見つけます。正気を失ったアンの怒りと悲しみが巻き起こした激しい嵐に、あやうくカタラとサカも巻きこまれるところでした。

この状況説明は、論理的であるだけでなく、見る者の関心を引く、忘れがたいものです。実際に焦点が当てられているのが、説明そのものではなく、アンが心に受ける衝撃だからです。説明された事実はストーリーの展開に大きな影響を及ぼします。真実を目の当たりにしたアンが、個人的な葛藤に直面するからです。その事実がストーリーの展開を左右するほどの重みを持つことは、ほかの登場人物ではありえません。

状況を知ることによって個人的に影響を受ける、何も知らない視点人物を登場させることで、読者は説明される内容を重視するようになります。真実を知ることによって視点人物が受ける感情面での影響を追求することで、読者にとってその人物が生き生きとした存在となるのです。

何も知らない視点人物を登場させる簡単な方法として、よく見られるのは、記憶喪失にさせることです。すべての事情を知っているはずの主人公が、関係するすべての情報をつごうよく忘れてしまうのです。リック・リオーダンの『オリンポスの神々と7人の英雄』、ジェームズ・ダシュナーの『メイズ・ランナー』、J・A・スーダーズの『エリシウム年代記』（未訳）などが、その例です。これは、ゲームの続編では、きわめて一般的におこなわれていることで、プレイヤーが攻略の要領を思い出すまでのつなぎの手段として使われます。プレイヤーがたとえ忘れていないとしても、「どうしてこうなったのか」についてあたりさわりのない説明がおこなわれます。記憶喪失はプロットのなかの仕掛けとしてはかならずしも悪いものではありませんが、ストーリー全体への影響を与えない使い方になっているケースが目につきます。マジックシステムを説明するだけにとどまらず、登場人物たちの対人関係に重大な影響を及ぼすようにすると、さらに効果的です。たとえば、恋人が自分のことを覚えていないことを知ったときに、その人物がどのような感情になるかに焦点を当ててみれば、記憶喪失の描き方がより印象的で現実味のあるものになるのではないでしょうか。ぜひ考えてみてください。

状況説明をどう処理するか2 ── 物語のヤマ場とする

読者とは、元来好奇心が強いものですから、それをうまく利用しましょう。むずかしいことではありません。読者の気持ちを盛り立てていきましょう。積極的に背景を知りたいと読者に思わせるためには、ヒーローとしての主人公が置かれた状況について書き連ねるだけでは不十分です。主人公が冒険へと至る道を円滑に描くためだとしても、一方的に与えられる情報から読者が得るものはありません。この問題を回避するひとつの方法は、説明を要する状況と主人公のあいだに障害物を置き、状況説明を物語のヤマ場とすることです。

そのすばらしい例が映画『マトリックス』です。「マトリックスとは何か」という謎が冒頭のシーンから提示され、最初の三〇分間、ネオはこの謎の究明に追われます。命がけでの脱出に失敗し、エージェントに尋問されたうえ、体に追跡装置を埋めこまれます。こうした困難があるからこそ、ネオがついにモーフィアスと対面したとき、マトリックスをめぐる説明は、無味乾燥で不必要なものではなく、それまでのすべてに対する見返りのように感じられます。突きつめれば、ミステリーとはすべて、登場人物が答えを求めて奔走する物語だといえます。

状況説明に行き着くまでの障害を物語のなかに配置することで、状況説明が報酬や見返りのように感じられるようになります。状況説明が、登場人物と読者がともにたどり着きたいと願うゴールとなっているからです。けれども、お気づきのように、この方法には明らかな問題があります。単なる状況説明のために念入りな段取りが必要となることです。物語のヤマ場にするためには、ストーリーにとって最も重要な情報、つまり、小説のユニークな前提や、最初の大きなひねり、対立の核心となる情報に対してでなくてはうまくいきません。「マトリックスとは何か」に相当するような大きな謎が必要です。

この処理に値するほど重要な状況説明はめったにありません。ハリー・ポッターが三大魔法学校対抗試合を戦い抜いたすえに、ゴドリック・グリフィンドールの剣の最初の持ち主がラグヌック一世であったことを知るだけでは、だれもがひどくがっかりすることでしょう――ほとんどの読者にとってどうでもいいことですし、ストーリーとの関連も特にありません。この方法では、軌道に乗るまで時間がかかりすぎるのも難点です。その世界を理解するまで、三分の一読み終えるまでかかるのでは、読者にとって長すぎます。

状況説明をどう処理するか3――「プールで泳ぐローマ教皇」

登場人物たちに影響を与えることによっておもしろくすることもできなければ、物語のヤマ場として組み入れることもできない状況説明を処理しなくてはいけないとします。こういう場合に、脚本術の名著『SAVE THE CATの法則』で、著者ブレイク・スナイダーが紹介しているのは、「プールで泳ぐローマ教皇」というトリックです。退屈になりかねない状況説明を、衝撃的で、ドラマチックで、ときにはユーモラスな場面でおこなうのです。ここで例にあげられている、あるサスペンス物の脚本では、ローマ教皇が水着姿になってプールで泳いでいるときに、細かい状況説明がおこなわれます。

「ええっ！ ヴァチカンにプールなんてあったの?! ローマ教皇が……水着、着てるよ!!」「ミトラ（司教帽）はどこにおいてあるんだろう?」なんて思っているうちに、説明は終わっている。

（菊池淳子訳、フィルムアート社、二〇一〇年、一七六－一七七頁）

オーエン・コルファーの『アルテミス・ファウル 妖精の身代金』によい例があります。第一章で、主人公アルテミスが妖精と対面し、聖典を見せるよう要求する場面です。

「（あんたは）祈禱治療師じゃない。妖精（ピープル）さ。スプライトか、プショグか、フェアリーか、カダランか、どんなことばで呼ばれているのかは知らんがね。ぼくはブックがほしいんだ」

（中略）

「ブックのことを知ってんならね、人間さん」妖精は、ウイスキーの酔いでぼんやりしながら、ゆっくりいった。「あたしが魔法を使えるってことも、ご存じだろ。あたしが指をパチッとやりゃ、それだけでおまえさんを殺せるんだよ！」

アルテミスは肩をすくめた。「そうは思わんね。自分をよく見てみたまえ。もう死にかかってるじゃないか。酒のせいで、感覚も鈍ってる」

（大久保寛訳、角川書店、二〇〇二年、一八－一九頁）

読者には、隠された魔法の世界があること、そこにはスプライトと呼ばれる生き物が数多くいること、妖精はアルコールに弱く、感覚が鈍くなることがわかります。こうした重要な背景の説明は、ともするとひどく退屈なものになりがちです。そのかわりに作者は、主人公のアルテミスがこの弱っているスプライトを脅し、自分の言いなりにさせようと操っている劇的な場面へと読者の注目を向けています。

「プールで泳ぐローマ教皇」は、状況説明から読者の気持ちを紛らわし、消化しやすくするためのひとつの方法です。とはいえ、その場面を衝撃的なものにしたいがために展開が不自然であったり強引であったりしては困ります。ストーリーのなかで、ドラマチックであるべき箇所に織りこみましょう。「プールで泳ぐローマ教皇」については、人物描写、対立関係、周辺環境、という三つのカテゴリーに分けてさらにくわしく見ていきます。

人物描写

まず、人物描写の文脈にあてはまる方法を見てみましょう。『ハリー・ポッターと賢者の石』の序盤にすばらしい例があります。登場人物の身体的特徴を自然に説明するのはむずかしいものですが、この作品の描写はみごとです。

暗い物置に住んでいるせいか、ハリーは年の割には小柄でやせていた［a］。その上、着るものはハリーの四倍も大きいダドリーのお古ばかりだったので［b］、ますますやせて小さく見えた。

ハリーは、膝小僧が目立つような細い脚で、細面の顔に真っ黒な髪、明るい緑色の目をしていた［c］。丸いメガネをかけていたが、ダドリーの顔面パンチがしょっちゅう飛んでくるので［d］、セロテープであちこち貼りつけてあった。自分の顔でたった一つ気に入っていたのは、額にうっすらと見える稲妻形の傷だ［e］。物心ついた時から傷があった。ハリーの記憶では、ペチュニアおばさんにまっさきに聞いた質問は「どうして傷があるの」だった［f］。


（松岡佑子訳、静山社、一九九九年、三四頁）


ここで説明されているのは、［c］の一文を除いては、ハリーの心の状態、舞台設定、ハリーがどのような扱いを受けていたかを説明するのに役立つものばかりです。

［a］の文章では、ハリーが「小柄でやせて」いるだけでなく、暗い物置に閉じこめられるという虐待を受けていたことがわかります。

［b］では、ダドリーはなんでも買い与えられ、ハリーはダドリーの「お古」ばかり着させられているという、正反対の扱いを受けていることを示しています。

［d］で描写されているのは、メガネそのものではなく、メガネが壊れている理由です。ダドリーからいじめられているからです。この説明には感情的な側面が加わっています。

［e］で、たったひとつ気に入っていたのはこの奇妙な傷だけだと明記していることは、ハリーが自分自身についてどう考えているかを物語っています。自己評価が低いのです。

［f］は、ハリーのバックストーリーについてのヒントを与えてくれますが、それは彼が自分自身について気に入っているたったひとつのことについての描写の中に表現されています。つまり、傷痕です。［c］は、ハリーの顔の形、髪や目の色を描写した単なる説明です。けれども、ほかの状況説明のなかに置かれても、埋もれることはありません。

これはジョージ・R・R・マーティンがよく使う方法です。〈氷と炎の歌〉シリーズを通して、彼はつねに家族や家、登場人物についてのちょっとしたバックストーリーを付け加えますが、それがうまく機能するのは、つねに目の前の人物についての詳細を明らかにする形でおこなわれるからです。読者はその人物について、基本的にたとえ話を通して学びます。第三部『剣嵐の大地』では、視点人物のひとりであるジェイミー・ラニスターが「白の書」に記された名高い英雄サー・バリスタン・セルミーの偉大な功績を一語一語読みあげていきますが、この詳細な状況説明は、ジェイミーが自分自身を偉大な人物たちと比較し、自分にはそれほどの偉大な功績がないことを思い知って落胆するという文脈のなかに置かれています。語られるのはバリスタン・セルミーのバックストーリーですが、実際に浮き彫りになるのはジェイミーの人物描写なのです。

対立関係

「プールで泳ぐローマ教皇」の方法として二番目に紹介するのは、対立関係を浮き彫りにする形で状況説明をおこなうことです。ジェイムズ・S・A・コーリイの『巨獣めざめる』によい例があります。宇宙船の医務室での場面です。

「つける義手の仕様は（中略）本物の腕とほとんど変わらない。内惑星には四肢を再生させるバイオジェルなんてものがありますけどね。われわれの医療保険では対象外です」
「内惑星なんぞくそくらえだ。やつらの魔法のジェルなんか使いたくねえ。ベルターの古きよき義手のほうがましさ。ラボで成長した生っ白い再生腕なんかごめんだよ」（中原尚哉訳、早川書房、二〇一三年、上巻一九頁）

この状況説明から、ふたつの人間社会があることがわかります。ひとつは、「内惑星」と呼ばれる地球、もうひとつは小惑星帯で、その住人は「小惑星人（ベルター）」と呼ばれています。それと同時に、このふたつの社会のあいだには大きな緊張関係があることが見てとれます。内惑星のほうがテクノロジーに依存しているという描写がありますね。この対立は、やがて太陽系全体におよぶ広い対立の前兆を示しています。

対立を利用して状況説明をおこなう場合、その説明をだれがおこなうかによって、登場人物の個人的な信念を引き出すことができます。また、ストーリーのなかで使われる口語表現を自然に導入することもできますし、登場人物が対立をどのように表現するかによって、異なる派閥がどのような関係にあるかを探ることもできます。

周辺環境

まわりの環境を描写することによって状況説明をおこなうこと。ほとんどの作家は、このアドバイスをよく理解しているはずです。小説や脚本を書く際の「語るな、見せろ」という鉄則を説明するときに、かならず言われることだからです。直感的にわかるものも、じっくりと考えてわかるものもありますが、基本的に、背景から情報を導き出すように描くことを言います。映画『つぐない』（二〇〇七）では、海岸沿いの町の荒れ果てたようすが五分間を超えるワンカットで映し出されます。そこでは、馬がつぎつぎと銃殺され、負傷者が手当てを受け、何千人もの兵士が浜辺に集まり、フランス市民は涙にくれ、兵士たちが神に祈り、希望の歌を歌っています。ここが第二次世界大戦の戦場であること、港町に追いつめられた部隊が援軍を待っていること、絶望と混乱のなかにあることが理解できると同時に、この地にたどり着いたロビー（ジェームズ・マカヴォイ）の心情が痛切に伝わってくる場面です。

周辺環境の描写は、登場人物同士の会話では不自然になるような世界観の要素を確立するのに特に効果的です。ベセスダ・ソフトワークスによる〈Fall Out〉シリーズでは、荒廃した大地や放置されたガスマスク、廃墟となった都市などから、そこが核戦争後の世界であることがわかります。

読者は読みながら、つねにあなたの世界について推測をめぐらせています。『アバター 伝説の少年アン』で「気の民」の大量虐殺について受け手に伝える場合のように、ほかのタイプの状況説明はわかりやすいものですが、周辺環境についての描写は、読者に好奇心を持たせることが狙いです。読者がストーリーを理解するのに不可欠なものではありませんが、ストーリーにリアリズムを持たせられます。こうしたことは、作者にとっては魅力的でも、読者は興味を持たないかもしれないので注意が必要です。

映画『トゥモロー・ワールド』（二〇〇六）の冒頭シーンでは、ロンドンの街頭での爆破テロと荒れ果てて混沌とした街路のようすから、衰退した社会で市民が不安をかかえて生きている時代であることが推測できます。世界がどれほどひどい状態にあるかは語られませんが、どんな世界であるかは想像できます。周辺環境の描写は、受け手があなたの物語から何を推測できるかの枠組みとなります。多くの場合、物語のなかで明確に述べるには耳ざわりとなる設定、トーン、ムード、テーマを確立するうえできわめて重要です。あらゆる技巧のなかで、最も読者の洞察力を要求するものであり、それゆえに最もむずかしいものです。

どのような情報を伝えるか1

これは、世界の構築に頭を悩ませる人たちが苦労することのひとつです。作家は精巧で入り組んだ驚きに満ちた世界を構築し、その世界での魔法、政治、宗教、経済、社会、カボチャを食害から守るために駆除が必要な齧歯類（げっしるい）はどれか、といったことまで、複雑な状況のすべてをくまなく知り尽くしています。これだけの情熱を注ぎこんだ力作なのですから、何もかも盛りこみたくなる気持ちに駆られるかもしれません。自分が築きあげた魅惑の世界を読者にすべて体験してもらいたいと考えるのは当然です。

問題は、すべてが読者にとって重要であったり興味深いものであったりするわけではないということです。あなたが構築した世界のすべてを伝える必要はないのです。フィリップ・リーヴの『移動都市』では、「六十分戦争」がどのように世界を破壊したかについて、くわしい説明はされません。なぜなら、それは世界観構築の重要な部分かもしれませんが、物語における対立の重要な要素ではないからです。では、盛りこむべきものはなんでしょうか。

どのような情報を伝えるか2 ―― 問題解決のための説明

伝えるべき状況説明のひとつに、問題解決のための説明があります。これは対立関係の展開や解決に大きな役割を果たす重要な情報です。あるキャラクターがプロットを解決するために何かをおこなうのであれば、読者はあなたの世界のなかでなぜそれが有効なのかを理解する必要があります。わかりやすい例として、アイザック・アシモフが短編「堂々めぐり」で書いた「ロボット工学の三原則」を見てみましょう。これは、ロボットの電子頭脳に刻まれた基本原則です。

第一条　ロボットは人間に危害を加えてはならない。また、その危険を看過することによって、人間に危害を及ぼしてはならない。
第二条　ロボットは人間に与えられた命令に服従しなければならない。ただし、与えられた命令が、第一条に反する場合は、この限りではない。
第三条　ロボットは、前掲第一条および第二条に反するおそれのないかぎり、自己を守らなければならない。
（『われはロボット〔決定版〕』所収、小尾芙佐訳、早川書房、二〇〇四年、七七頁）

読者がこれらのルールを知ることは、ストーリーの緊張した展開を理解するうえで、そして、その緊張感がどのように解決されるかを理解するうえできわめて重要です。「堂々めぐり」で、スピーディというロボットは、第二条や第三条よりも第一条を優先させて行動します。この原則は、マジックシステムやSF技術にも当然適用されます。このことについては、第4章、第5章、第6章でもっと深く掘りさげていきましょう。

自分が作りあげた複雑なマジックシステムを細部に至るまで説明したいという欲求に駆られることもあるでしょう。あなたの世界をユニークなものにしている驚くべきコンセプトなのかもしれません。けれども、読者にとっての経験という点から言うと、真の問題は別のところにあります。対立関係の解決策をより満足のいくものにすることで、物語に一貫性を持たせることができるかどうかということです。トールキンの『指輪物語』で、ガンダルフの魔法についてふだんは説明されないのは、問題解決に使われることが少ないためです。使われる場合は、大きな代償をともないます。たとえば、第一部『旅の仲間』では、ガンダルフは悪鬼バルログに倒されてしまいます。ガンダルフは「中つ国」を導くためにヴァラールによって遣わされた五人のイスタリ（魔法使い）のひとりであり、太陽の運行を司る火の精アリエンの力を引き出すことができるような、聖なる力を授かっているとの説明はありますが、実際には、登場人物たちがストーリーのなかで立ち向かう困難に対して、より満足のいく解決策を実際に生み出すことはできません。これとは対照的に、ブランドン・サンダースンは〈ミストボーン〉シリーズで、マジックシステムについての説明にかなりのページを割いています。物語の対立関係がどう解決されるかにおいて重要な役割を果たすものであり、どうしても必要だからです。

それでは、マジックシステムの説明の悪い例を見てみましょう。『スター・ウォーズ エピソード1／ファントム・メナス』（一九九九）で、クワイ＝ガン・ジンがアナキン少年と語り合う場面です。

クワイ＝ガン・ジン「ミディ＝クロリアンはあらゆる生きた細胞の中に存在する微小生命体だ」

アナキン「ぼくの中にもいるの？」

クワイ＝ガン・ジン「もちろん、きみの細胞の中にもいる。われわれはミディ＝クロリアンと共生関係にあるんだ」

アナキン「共生？」

クワイ＝ガン・ジン「共通の利点のために共存する生命体だ。ミディ＝クロリアンなしでは生命は存在できないし、われわれはフォースの知識を手に入れることもできない。彼らは絶えずわれわれに語りかけ、フォースの意思を伝えてくれるんだ。心を静めることを学べば、きみにも彼らの声が聞こえるようになる」

アナキン「わからないや」

クワイ＝ガン・ジン「時が経ち、訓練を積めばわかるよ、アニー。きっとわかるようになる」

ここでの問題は、マジックシステムの要素であるフォースについて知ったとしても、ストーリーの後半でどのように問題が解決されるかを理解する手助けにはならないということです（個人的な感想を言わせてもらうと、ひどくつまらない場面です。全体的に見ても、ストーリーのほかの部分と合っているとは思えません）。アナキンは、前に説明した、何も知らない視点人物の例であり、読者や観客が疑問を持つはずのことを代弁すべき存在ですが、問題なのは、観客はだれもミディ＝クロリアンについて知りたがっていないということです！　世界観の背景となる情報は、一貫性のある複雑な世界を読者のために作りあげるうえで、作者が必要なときに利用できる知識として使うのがよいでしょう。

どのような情報を伝えるか3――動機の説明

多くの場合、登場人物たちがくだす決断の理由を説明することは重要です。過去のトラウマや、キャラクターの考えを変えるような経験など、メインとなる物語ではわからないバックストーリーがあるためです。たとえば『アバター　伝説の少年アン』では、火の国の王子ズーコが国から追放されたときの回想シーンによって、アバターを捕らえることがなぜそれほど重要なのかがわかります。ズーコにとって、それはかつての過ちをつぐない、名誉を挽回して、父親の愛情を取りもどすための唯一の方法です。第一二話「嵐」で、アバターであるアンを追うのではなく、嵐の中を進む船から部下を助けることを最終的に選んだ理由も、このエピソードから知ることができます。ここで説明されたバックストーリーによって、視聴者にはズーコの選択が理解できるようになり、キャラクターとしての彼に共感を持てるようになります。

一方、作者が登場人物のバックストーリーを知っているからといって、読者も知らなくてはいけないということにはなりません。J・K・ローリングの〈ハリー・ポッター〉シリーズでのスネイプのように、謎めいた登場人物はストーリーに対する好奇心を引きつけることができます。スネイプのバックストーリーは最終巻（『ハリー・ポッターと死の秘宝』）まで明らかにされません。そこまで読んではじめて、読者は物語をほんとうに理解できるのです。これとは対照的に、ズーコやアンのような登場人物のバックストーリーは、視点人物として読者に親近感をいだかせるため、早い段階で明かされます。登場人物に親近感を持たせるものでも、好奇心を引きつけるものでもないバックストーリーは、物語のなかでなんの意味もない、中途半端な説明になってしまう可能性があります。

また、バックストーリーを明らかにする場合には、他者である語り手に語らせるよりも、実際の場面を書き出すほうが説得力が強くなります。

どのような情報を伝えるか4 ——作者が説明したいと思うこと

わたしはこれまでずっと、作家は自分が書きたいこと以外はいっさい書く義務はないという原則を積極的に支持してきました。この考えにしたがえば、もしその情報があなたにとって重要なのであれば、あなたの世界やストーリーに関するどんな状況説明も自由に書くことができます。望むとおりにストーリーを書いてよいのです。それがかならずしも読者にとって説得力のある情報になるとはかぎりませんが、あなたにとって重要なことであれば、やり通す方法を見つけてください。そして、それがうまくいくようにベストを尽くしましょう。

読者を尊重する

読者はわたしたちが考えているよりも聡明です。すぐれた状況説明の多くは、対立関係や周辺環境の描写を通して暗黙のうちにストーリーを語っています。ほかの政党に関する宣伝文句を読んだ読者は、複雑な政治的派閥が存在することに気づきます。コーマック・マッカーシーの『ザ・ロード』では、廃墟と化した都市のようすを読んで世界に終末が訪れたことを知ります。前腕の傷痕を見て、その人物が虐待を受けていたことを推測することもできます。

読者は、たとえあなたが考えているストーリーを正確に理解できないとしても、こうしたことを感じ取るはずです。多くの場合、正確に理解することは重要ではありません。それよりも重要なのは、あなたが情報を伝えるトーンです。

ときには、多くを曖昧なまま残したり、行間を読ませたりすることで、説明する必要なしに、広い世界がそこにあるかのように感じさせることができます。それによって読者は、あなたの世界がどんなものなのか想像できるようになります。その体験は、あなたの世界をさらに没入感があるものにしてくれることでしょう。

いつ状況説明を伝えるべきか

興味を引くか、親近感を持たせるか

さて、ここでふたたびバックストーリーの話にもどりましょう。前項ではスネイプとズーコという登場人物を例にあげて、興味を引くか、親近感を持たせるかについて説明しました。バックストーリーを明らかにするかど

うかは、このふたつの二者択一ではありませんが、いずれも非常に重要なことです。興味を引くか、親近感を持たせるかは、それをいつ明らかにするかが問題です。全体を通して緊張感を持たせるために、多くの作者がストーリーの後半でバックストーリーを明かすことを選んでいます。たとえば、スネイプはハリー・ポッターの母リリーに思いを寄せていましたし、ダンブルドアはかつて強い権力欲を持っていました。このふたりは脇役であるため、そのバックストーリーは物語の後半で周囲の緊張感が高まったあとではじめて明かされます。もし作者のローリングがストーリーのもっと早い段階でこれらのことを明らかにしていたら、ふたりをめぐって好奇心がつのることはなかったかもしれませんが、人間らしさは感じられるようになり、親近感は高まっていたでしょう。どちらのやり方も悪くありません。

視点人物のバックストーリーを早い段階で明らかにするほうが多いのには理由があります。それによって、読者をその登場人物に感情移入させることができるからです。これは、ほとんどの作者が主役に対して望むことではないでしょうか。このため、ハリー、ロン、ハーマイオニーのような主要な登場人物のバックストーリーを、後半になってから明かすということはありません。同様に、脇役に対しては読者の好奇心を引きつけておきたいので、そのバックストーリーは後半で明かされることになります。

どんでん返し

状況説明を印象深いものにするきわめて効果的な方法に、どんでん返しがあります。これは状況説明の前に置いても後ろに置いてもかまいません。たとえば、クリストファー・ノーラン監督の『インセプション』で物議をかもすシーンとして、観客に夢の世界の仕組みを理解させるために、アリアドネ（エリオット・ペイジ）が狂言まわしの役割を果たす場面があります。これは、先に説明した、何も知らない視点人物の一例です。この場面では、夢の世界の仕組みについての説明が四分間にわたってつづいたあとに、登場人物にとっても観客にとっても衝撃的な展開が待っていますーーそれまでずっと見ていたのは夢の世界だったのです。

いま読んだばかりの状況説明を実証するどんでん返し、あるいはいま読んだばかりのどんでん返しについての状況説明は、ストーリーの決定的瞬間、あるいは、鮮烈な映像の瞬間と状況説明を結びつけますーー『インセプション』で言えば、店先が爆発し、時間が凍る場面です。なぜなら、そのシーンの見どころとなっているのは状況説明そのものではなく、状況説明の実証だからです。

もっと巧妙な「どんでん返し」は、登場人物にまちがいを犯させることです。その例が、同じくノーラン監督の『インターステラー』（二〇一四）にあります。水の惑星に降り立ったアメリア（アン・ハサウェイ）が、遠くに山脈があると言いますが、すぐにそれは山ではなく、巨大な波であることが明らかになります。信じかけていた情報が誤りであることが実証されることで、正しい情報がはっきりと記憶に残ります。

最初の章の役割

自分が作りあげた世界の歴史と、魅力あふれる登場人物たちの設定を、冒頭からことばを尽くして説明したいという誘惑に駆られることはふしぎではありません。最近の傾向としては、そのような説明的な文章は好まれないようですが、トールキンのように、実際にそうしていた偉大な作家たちもいます（『旅の仲間』はホビット庄のくわしい歴史からはじまっています）。

その理由は、はっきりしています。なんらかの背景事情を与えられることなく、読者がその世界や社会に心を寄せたり、マジックシステムを記憶したりするのはむずかしいからです。フロドの体験を通してわたしたちはシャイア庄の世界に自分もいるかのように感じ、カタラとサカの母親が亡くなったいきさつを知って百年戦争に関心を持ちます。夢の世界をどのように利用すれば、対立関係を生み出したり、解決したりできるかを見ることで、夢の世界がどのように機能するかを記憶します。印象的で興味深い状況説明は、何もないところには存在しません。そのため、最初の章では、状況そのものを長々と説明するよりも、のちの章で状況説明をおこなうための没入感のある文脈を確立するほうが効果的です。

複数の登場人物

物語全体にわたって少しずつ状況説明をおこなっていくのがよい方法であるように、複数の登場人物を通して状況説明をおこなうことで、膨大な情報量の文章がストーリーの展開を妨げることも防げます。また、登場人物のあいだで相互作用が生まれ、ひとりの語り手による平板になりがちな説明ではなく、異なる視点や言いまわし、強調の仕方による考察となり、公平なものになります。

まとめ

1. 何も知らない視点人物は、説明を論理的に伝えるためのひとつの方法ですが、それだけでおもしろくなったり印象に残ったりするわけではありません。また、記憶喪失は陳腐で作為的な印象となりがちです。
2. 説明を要するものと主人公とのあいだに障害物や謎を置くことで、状況説明がひとつのヤマ場になります。読者も登場人物も答えを強く求めるからです。
3. 「プールで泳ぐローマ教皇」というトリックは、状況説明において読者を退屈させないことを目的としています。人物描写に役立つ文脈、対立関係のある劇的な場面、衝撃的な周辺環境の描写に配置すると効果的です。

4. 世界観のすべてを伝える必要はありませんが、物語の緊張感をコントロールし、問題解決となる状況説明をおこなうことは重要です。これはマジックシステムにも同じように当てはまります。

5. 登場人物がその行動をとる理由を説明することで、親近感を持たせるのは重要です。一方で、謎めいた背景を持つ人物を登場させるのも読者の関心を引きます。

6. 読者に敬意を持ちましょう。読者はあなたの描写、やりとり、台詞の行間まで目を通します。読者の想像力を引き出すことで、没入感がある世界が作られます。

7. 状況説明の前やあとに予想外の展開を加えることは、説明をより印象深いものにするすばらしい方法です。

8. 一般的に、最初の章では状況説明は避け、あとの章での状況説明のために、没入感がある文脈を確立する手段として使用するのがよいでしょう。

第4章

伏線を張る

本章で扱う作品

『アベンジャーズ／エイジ・オブ・ウルトロン』
『ハリー・ポッターと賢者の石』
『マクベス』
『ダークナイト』
『ハリー・ポッターと炎のゴブレット』
ほか

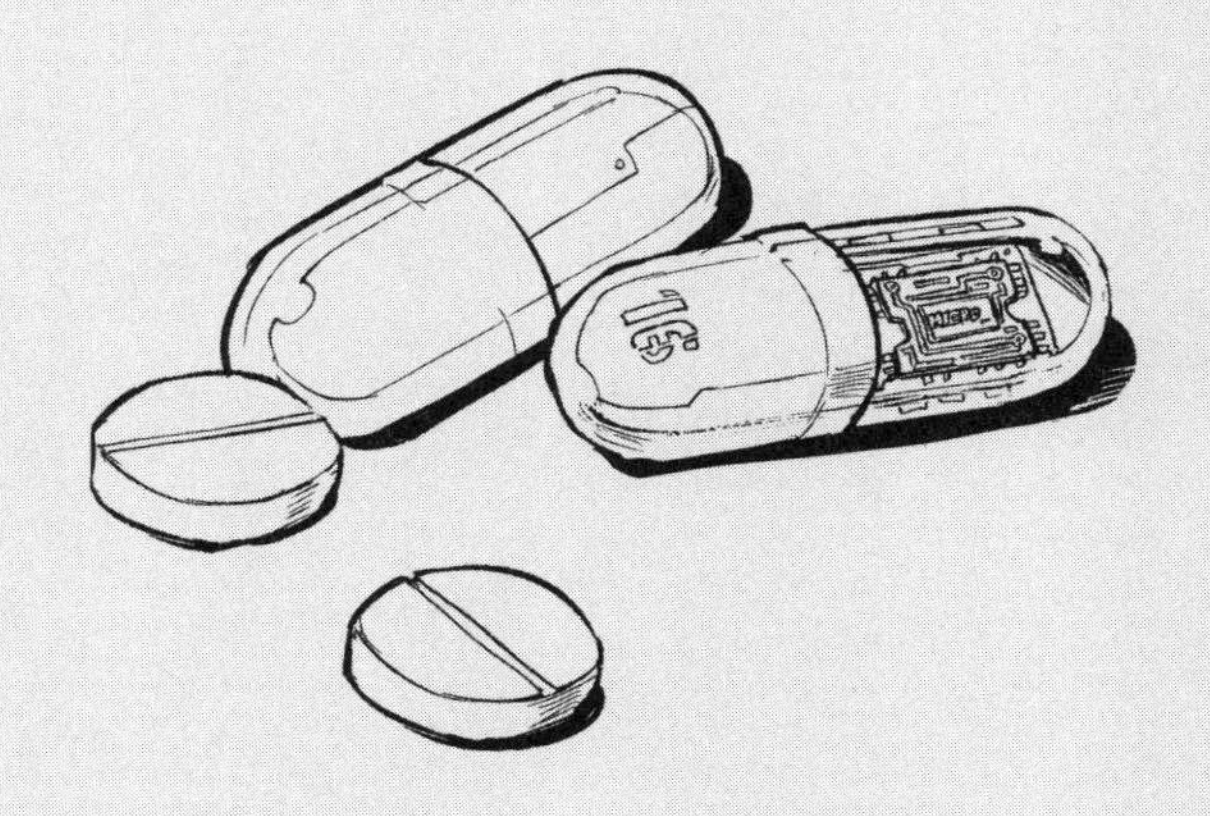

伏線はストーリーの要素というより、むしろストーリーを作りあげるためのツールです。伏線とは何かについては、ほとんどの人がきちんとした知識を持っていると思いますが、それが必要な場所や効果的な使用方法を理解することは、また別の問題です。

簡単に言うと、伏線とは、ストーリーの序盤のシーンを使って、後半で起こる出来事への期待や理解を深めることです。ジョス・ウェドン監督の『アベンジャーズ／エイジ・オブ・ウルトロン』（二〇一五）では、アイアンマン／トニー・スターク（ロバート・ダウニー・Jr.）が「われらの時代の平和」ということばを使って、最新の発明品であるウルトロン（地球全体の平和を維持し、人類を脅威から守ることができる人工知能）について説明しています。これは、一九三八年にアドルフ・ヒトラー率いるナチス・ドイツと協定を結んだ、当時のイギリス首相ネヴィル・チェンバレンが「われらの時代の平和を得た」と語ったことばが下敷きになっています。

チェンバレン首相が宣言した平和は一一か月しかつづかず、第二次世界大戦がはじまることとなります。ですから、このことを知っていた観客が予期するのは、平和ではなく、かつて見たことのない規模の世界戦争のはずです。伏線とは、心を刺激する創作上の手法として読者が振り返ることのできるものというだけではありません。作家にとって、ストーリーを構成し、作品のトーンを定め、読者が納得できる結末をもたらすのに役立つものです。伏線を張るには多くの方法がありますが、ここでは一般によく知られている方法を重点的に見ていきましょう。プレシーン、異例の描写、「チェーホフの銃」、象徴、予言、異例の行動、の六つです。

プレシーン

プレシーンとは、重要な場面を暗示するちょっとしたエピソードを序盤に入れることです。ダファー兄弟制作のドラマシリーズ『ストレンジャー・シングス　未知の世界』では、冒頭で、主人公の少年たちがダンジョンズ&ドラゴンズのゲームを楽しむ場面が描かれています。このゲームでは、異次元からやってきたとてつもなく強力なモンスター、デモゴルゴンと戦います。その後、少年たちは一シーズンをかけて異次元のモンスターと戦うことになります。のちに起こる出来事を模したこのプレシーンはみごとな伏線となっています。

異例の描写

これは、通常なら考えに入れないようなことを強調して記述し、通常考えられるよりもくわしく説明することです。よく知られたわかりやすい例として、『ハリー・ポッターと賢者の石』でハリーの傷痕について書かれた部分を見てみましょう。

自分の顔でたった一つ気に入っていたのは、額にうっすらと見える稲妻形の傷だ。物心ついた時から傷があった。ハリーの記憶では、ペチュニアおばさんにまっさきに聞いた質問は「どうして傷があるの」だった。

（松岡佑子訳、静山社、一九九九年、三四頁）

一般に、傷痕は、取り立てて説明を必要とするものではありません。だれにでもあるものです。この異例の描写は、ハリーの過去に何か謎めいたことがあったのを読者に知らせると同時に、将来においてヴォルデモートとのあいだに生じる緊張関係を暗示しています。

現実の世界では、見聞きするあらゆるものがすべて重要なわけではありません。一方、作家は物語を書く際に、何を盛りこみ、何を盛りこまないかをつねに意識して選択することを強いられます。つまり、作者が見てほしいものに読者の焦点を絞れるような、まとまりのある物語にするためには、すべての段落が物語のなかで求められる役割を果たす必要があります。ある特定のものについて異例の描写をおこなうことで、読者にとって重要な焦点として際立たせ、そこから何かが起きることを暗示するのです。

それでは、異例の描写の方法についてくわしく見ていきましょう。強調する必要がないものは単に列記するだけにし、強調したい対象には、ひとつの段落や文章をまるごと使うことで対比させることができます。列記されたものの近くに置かれるほど、対比が明確になります。たとえば、ハリーの傷痕に関するこの記述の前には、つぎのような文があります。

ハリーは、膝小僧が目立つような細い脚で、細面の顔に真っ黒な髪、明るい緑色の目をしていた。(同三四頁)

どれひとつとして、特に重要なこととして強調されてはいません。際立たせるような言いまわしもなく、ただ羅列されているだけです。ハリーの傷痕についての記述には感情的な側面があるうえに、ひとつの文がまるごと使われています。

何かを際立たせるためのふたつ目の方法としては、登場人物にほかのものに対するのとはちがう態度で関わらせることです。登場人物がそれについてのエピソードを語ったり、失うことを不安に思ったり、それについて相反する感情をいだいたりすることなどが挙げられます。

「チェーホフの銃」

これはおそらく最も一般的で重要な伏線の手法と言えます。ロシアを代表する劇作家アントン・チェーホフの「もし第一幕で壁に銃があるならば、最後の一幕までに発砲されなくてはならない」ということばに由来しています。脚本術に関する著作で知られるデイヴィッド・トロティエは、こう言い換えています。「一杯のコーヒーについて描写する意味があるのは、そこに毒がはいっているときだけだ」

「チェーホフの銃」とは、何かがストーリーの後半で重要な意味を持つようになる場合、序盤で伏線としての存在感を持たせるべきだという原則のことです。たとえば、第三幕で銃を使用するのであれば、第一幕で壁にかけておくのです。銃は具体的なものについての例ですが、ストーリーにふたたび登場するものであればなんでもかまいません。

これはゲームの世界ではよく見られることで、なんらかのアイテムやアビリティを手に入れても、先に進むまで重要なものだとわからないことがよくあります。トビー・フォックス制作のゲーム『UNDERTALE』では、スパイダースイーツ即売会でスイーツを買うと、あとでそれを使って蜘蛛（スパイダー）のボスであるマフェットとの戦いを回避することができます。このアイテムは、一見なんの役にも立たないもののように思えますが、蜘蛛との出会いを暗示するとともに、『UNDERTALE』が掲げているゲームとしてのテーマ、つまり、だれも殺さなくても勝つ方法があるということを表現しているのです。「チェーホフの銃」は、特にSFやファンタジーにおいて、対立を解決して納得できる結末へと導くために重要な意味を持ちます。マジックシステムやテクノロジーなどの要素をあらかじめ設定しておくことにより、ストーリーのなかでの効力を読者が理解することができます。そうすれば、終盤において対立を解決するために使われたとしても、「デウス・エクス・マキナ〔ご都合主義〕」のように感じられることはありません。

象徴、予言

プレシーンや「チェーホフの銃」が比較的読者にわかりやすいものであるのに対して、象徴はややとらえにくいものです。わたしが気に入っている例としては、ジョージ・R・R・マーティン原作の『ゲーム・オブ・スローンズ』のオープニングシーンがあります。スターク家の一行が、ダイアウルフと牡鹿――スターク家とバラシオン家のそれぞれの象徴――が闘いのすえに共倒れになって死んでいるのを発見します。その死は、やがて両家を巻きこむ戦いが起き、スターク家もバラシオン家もほとんどが死に至ることを読者に予感させるものです。

象徴には一般的象徴と限定的象徴があります。

1. 一般的象徴とは、無限大を意味する8の字のように、わたしたちが現実の世界で使っているものです。一般的象徴は、読者が通常知っているようなことを参照して、作者が将来の出来事をはっきりと暗示したい場合に役に立ちます。
2. 限定的象徴とは、スターク家を象徴するのがダイアウルフであるなど、作者が構築した世界観のなかにあるものです。限定的象徴は、読者がその本から集めたはずの知識を利用するため、より複雑で創造的なものになります。

一般的象徴には、黒雲がたちこめることは悪いことが起こる前兆であったり、カラスが不吉の象徴であったり、といったきわめて明白なものもありますが、さまざまな解釈ができる複雑な象徴を使うほうがおもしろくなります。

象徴を使う伏線の効果的なかたちのひとつにモチーフがあります。これはストーリー全体を通してひとつの象徴を繰り返し使用することです。繰り返すことによって、象徴が際立ち、効果的になります。アーネスト・ヘミングウェイの『老人と海』では、主人公の老人について無私無欲の象徴であるキリストを連想させる描写が繰り返し見られ、みずからの利益をかえりみないこの老人が迎える結末への伏線となっています。

もちろん、ファンタジーのジャンルでおなじみのタイプの伏線も忘れてはいけません。予言、幻影、夢などは、メタファーや象徴に満ちています。これらは伏線のなかでもわかりやすいものの部類にはいります。予言の重要性をうたがう登場人物はほとんどいませんし、たとえ登場人物がうたがったとしても、読者がうたがうことはないのですから、伏線というよりも、プロットの明確な方向性を示すものです。また、シェイクスピアの『マクベス』のように、幻想的な文学にもよい例がいくつもあります。「女から生まれた者」にはマクベスを倒せない、という予言は、ストーリー全体を通して彼の決断に重要な影響を与えていきます。この伏線は、見る者にマクベスが死ぬことになるだろうという情報を与えると同時に、マクベスを殺すのはだれかについてもヒントを与えます。[*1]

異例の行動

これは、登場人物が事前の人物描写と矛盾した行動をとることで、読者に引っかかりを感じさせるものです。J・R・R・トールキンの『指輪物語』では、それまで愛嬌があり、陽気で、親しみやすい性格だったビルボが、ガンダルフに「一つの指輪」を置いていくよう言われると、態度を豹変させて怒りをあらわにします。この思いがけない行動は、さまざまな登場人物が「一つの指輪」をめぐって繰りひろげる戦いを予感させ、冥王サウロン自身の凶悪さを予感させます。この手法は、物語のミステリーの流れで最もよく使われます。登場人物がなんらかの異例の行動をとり、その理由がミステリーの種明かしにつながるのです。

その他の伏線の方法

何気ない言いまわしで伏線を張るという方法もあります。『ゲーム・オブ・スローンズ』では、キャトリンについて「心が石(ハートストーン)になってしまったような気がするときがある」と表現している箇所があります。これは、彼女が最終的にレディ・ストーンハートに生まれ変わることを予感させるものです。登場人物に、何かが起こることをいわれなく気にかけさせたり冗談を言ったりさせる方法もあります。『アバター　伝説の少年アン』では、アンが冗談交じりに「凶暴な精霊を解き放てば火の国をやっつけてくれるかもしれないよ」と口にします。そして、最終話で海の精霊が火の国の海軍を壊滅させます。このふたつの例は、二度目を見るまで気づかないような、巧妙な言いまわしといえるでしょう。効果的に伏線を張る方法は数多くあり、すぐにはわからないようなものや、独創的なものもあります。どのスタイルを使うかは、読者にどのような効果を与えたいかによって決まります。

物語の構造、トーン、結末

物語の構造

伏線を張ることによる最大の効果は、読者に対して、ストーリーのなかで特定のドラマの流れを強調できることです。強調することによって、重要となる出来事はどれになるのか――離婚、殺人、あるいは政治的な陰謀か――、そして、どのようなストーリーになっていくのか、読者に期待をいだかせることができます。こうした大きな出来事は、ストーリーを構成するものであり、通常、第一幕、第二幕、第三幕の最後に起こります。

クリストファー・ノーラン監督の『ダークナイト』（二〇〇八）では、冒頭に検事のハービー・デントのこの有名なセリフがあります。

「ヒーローとして死ぬか、長く生きて悪者になった自分を見るかだ」

いつ、どこで、だれが、なぜ、どのようにしてそうなるのか、観客にはわかりませんが、このセリフは、ストーリーにおいて高まる緊張感の中心になるテーマだという予感を持たせ、実際に、ゴッサム・シティのヒーローだったハービー・デントが第二幕の終盤でトゥーフェイスという悪者に変わります。

伏線は、これから起こることの輪郭を読者に示しますが、何が起こるかを正確に示すわけではありません。物語の第一幕、第二幕、第三幕で起こるドラマチックな瞬間を読者に期待させることで、各幕をつなぐ結合組織としての役割を果たします。何が起こりうるかを読者が事前に予想することで、物語はまとまりがあるものに感じられるはずです。とはいえ、これは何が起こるかを知らせるという意味ではありません。ストーリーのなかでどこから緊張が生まれるかを知らせるということです。それは、人間関係の破綻かもしれませんし、謎の解明かもしれません。伏線は読者の体験を手引きするものです。

トーン

伏線を張ることで、作者は物語の後半で起こるトーンの変化に対する土台を築くことができます。『ハリー・ポッターと炎のゴブレット』では、序盤にこんな描写があります。

> 生々しい夢で目が覚め、ハリーは両手を顔にギュッと押しつけていた。その指の下で、稲妻の形をした額の古傷が、いましがた白熱した針金を押しつけられたかのように痛んだ。
>
> (松岡佑子訳、静山社、二〇〇二年、上巻二八頁)

これは、クィディッチ・ワールドカップという明るく楽しい出来事があるストーリーのはじまりでありながら、やがて「死喰い人(デス・イーター)」の襲撃によって、ストーリーが暗いトーンへと大きく変わることを予感させるプレシーンです。このトーンの変化は、シリーズ全体においてのトーンの変化を表すものでもあります。『ハリー・ポッターと炎のゴブレット』は、夢のような楽しいストーリーが終わりを告げ、暗くいわくありげなストーリーがはじまる作品だと見なされています。さらに、この描写はシリーズ全体でもとりわけ暗い場面のプレシーンになっています。ハリーの傷痕が「(指の下で)白熱した針金を押しつけられたかのように痛んだ」と描写されているように、このセリフはクライマックスでのつぎの出来事を暗示しています。

ハリーは［ヴォルデモートの］冷やりとした蒼白い長い指の先が触れるのを感じ、傷痕の痛みで頭が割れるかと思うほどだった。

（同、下巻四五二－四五三頁）

トーンがいきなり劇的に変化すると、読者が不快に思う可能性があります。これは、読者にどんでん返しを期待させるべきだという意味ではありません。どんでん返しは、トーンの変化をともなうときに最も効果的であることが多いからです。けれども、トーンの変化そのものが暗示されていなければ、トーンの変化をもたらす出来事が、それまでのストーリーから切り離されたように感じられてしまうかもしれません。トーンの変化を暗示することで、読者は重要な出来事が待ち受けていると感じ、好奇心をかき立てられます。これによって、熱量が低く感じられる部分にもサスペンスの要素を加えることができます。

納得できる結末

よい物語において、どの出来事を伏線にするべきかは大きな問題です。基本的に、伏線とは読者に情報を提供するだけのものではありません。トーンのためであるか、物語の構成のためであるかにかかわらず、どのタイプの伏線も、必要となるのは、予期せぬ出来事を真実味があるものにする場合だけです。それ以外の多くはうわべを飾っているにすぎません。納得できる結末とは、つじつまが合う形で問題が解決されたと読者が感じることであり、伏線はそのために重要な役割を果たします。

その出来事が重要であればあるほど、物語全体を通した伏線を張る必要性が高まります。プレシーンが使われるのはトーンの変化を真実味があるものにするためであり、異例の行動がとられるのは犯人の判明を、象徴が使われるのは終盤のクライマックスを、対象物について異例の描写をおこなうのは登場人物がどのように問題を解決するかを、それぞれ真実味があるものにするためです。また、ある物について異例の描写をおこなうのは、登場人物がのちにそれを使って問題をどのように解決するかを真実味があるものにするため（「チェーホフの銃」と組み合わせて使われることが多い）です。

まとめ

1．伏線を張るには多くの方法があります。代表的なものとして、プレシーン、異例の描写、「チェーホフの銃」、象徴、予言、異例の行動などがあり、それぞれに長所があります。

2．伏線はのちにどこで緊張が高まるかという予想を立て、物語の構造を確立するのに役立ちます。第一幕、第二幕、第三幕をつなぐ結合組織となります。

3．伏線は、物語のトーンを確立し、ドラマチックではない場面にも興味やサスペンスを生み出すのに役立ちます。

4．伏線が効果的に機能する箇所はたくさん考えられますが、必要となるのは、トーンの変化、プロット上のひねり、登場人物の変化、クライマックスでの問題解決など、予期せぬ出来事を真実味があるものにする場合だけです。

注

＊1　マクベスが帝王切開で生まれた男に殺されるという種明かしを、ひどくつまらないものだと考える人間は少なくありません。J・R・R・トールキンもそのひとりでした。『王の帰還』における魔王滅亡の場面はここから着想を得ていると言われます。魔王については「人間の男には倒せない」という予言がありました。そこでトールキンは、「人間（man）」ではなくホビットであるメリーと、「男（man）」ではなく女性であるエオウィンに討ち取らせたのです。また、「マクベスは決して負けぬ、バーナムの森がダンシネインの丘へ攻め寄せてくる迄は」（木下順二訳、岩波書店、一九九七、九五頁）という予言に対して、イングランド軍が木の枝に隠れて進軍し、森が動いているように見せた、という展開にもトールキンは不満を持っていました。ここから『二つの塔』において、エントという木に似た姿の種族が行進し、アイゼンガルドを破壊する、という着想が生まれました。

第5章

敵役の動機

本章で扱う作品

『鋼の錬金術師』
『バットマン：キリングジョーク』
『ウォッチメン』
〈SHERLOCK／シャーロック〉シリーズ
『ドクター・フー』
ほか

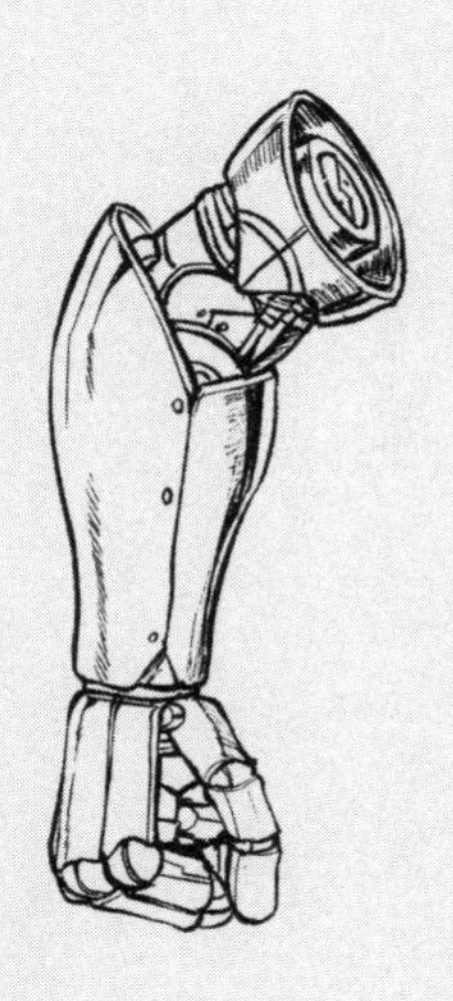

敵役をデザインすることは魅力に満ちた作業ですが、難易度が高いので、この章では考慮するべき要素のひとつ、動機についてくわしく見ていくことにします。貪欲、愛、嫉妬、独善、野心、権力、トラウマ、復讐、自暴自棄、あるいは砂に対する憎悪など、作家は敵役に動機を持たせるために、あらゆることを利用できます。むずかしいのは、動機がなんであれ、説得力を持たせてストーリーに織りこむことです。この章では「主人公」と「敵役」という用語を使いますが、これには複雑な文学上の定義がともない、わたしたちが議論するストーリーをすべて完璧に網羅することはできません。ですが、わかりやすさ優先で、このふたつの用語を使うことにします。

敵役の動機を読者に伝えることは重要ですが、作者がそれをどうやって伝えるのかが鍵を握ります。その中核には「語るな、見せろ」という有名な原則があります。〈ジェームズ・ボンド〉シリーズの敵役が、「六歳のときに飼い猫を左利きの人間に殺された。だからやつらをみな殺しにしてやるのだ」と独白しても、大しておもしろくないことは言うまでもありません。敵役の動機を考え出すにあたり、価値観、規模、反映、受動的または能動的な登場人物、「いい人」な敵役、世界を救う（セーブ・ザ・ワールド）ストーリーの展望について考察しましょう。

価値観と規模

『鋼の錬金術師』では、国家錬金術師であるショウ・タッカーが資格をはく奪されそうになり、幼い娘を利用しておぞましい錬成を実行したときに、その動機が読者に伝わります。この出来事は、敵役の動機について作者が考慮するふたつのことを伝えています。

a．タッカーの行動の背後にある価値観　家族を思いやる気持ちより、国家における自分の立場をはるかに重視しているという、衝撃的な事実。

b．動機の規模　罪のない、愛する娘を実験に利用する気にさせるほど強烈な価値観。

敵役が目的よりも何を重視するのかを示すと、敵役としての存在感を際立たせることができます。特に、それが主人公との鋭いコントラストを生み出すなら、さらに効果的です。敵役が強大な権力を望んだとしても、その作品世界で正義よりも権力のほうに価値があると示されないかぎり、最悪の出来事というわけではありません。同様に、敵役の動機の規模を示すことで、どこまで行くつもりなのか、どんな脅威をもたらすのかが明らかになります。また、このテクニックは、目的を達成するために、敵役が危険を冒そうとはしない何かを示すことで、より多面的な人物にすることもできます。これは特に、お金などの即物的なものではなく、家族や友人、社会的な受容といった、通常、読者が強く気にかけるようなものを、敵役が危険にさらすか、あるいはさらさないかを示す場合に効果的です。

『アバター　伝説の少年アン』では、ズーコは名誉を重んじ、アバターを捕らえることに価値を置いていますが、自分とともにアバターを追う部下の命や人情のほうをより重んじていることがわかります。ズーコは武器を持たない村人を脅すことは厭いませんが、嵐のなかで部下がほぼ確実に死に至るリスクは冒そうとはしません。こうしたことによって、ズーコの動機に層が重なっていきます。

また、敵役は複数の目的や優先事項を持てることも覚えておきましょう。ある目的をそのほかよりも重要視したり、目的同士を対立させたりすることで、ストーリーをさらにおもしろくすることができます。ズーコは、父親に愛され、受け入れられたいと思っていますが、同時に名誉を取りもどすことを望んでいます。このふたつの目的はかならずしも一致するとはかぎりません。当然ながら、目的のために手段を選ばない敵役は例外なく危険です。

反映

主人公の文脈のなかで敵役の動機を理解することはきわめて重要です。主人公の動機を反映させるというのは、その一案です。ジョン・トゥルービーは『ストーリーの解剖学』のなかで、つぎのように書いています。

ライバルのことは、ストーリーにおける一つの重要な役割として、むしろ構造的に捉えるべきだ。本当のライバルとは、主人公の欲求の達成を妨げたいと思っているだけでなく、自分も主人公と同じゴールを目指して争っている者のことだ。(中略) 最も深いレベルでの主人公とライバルの対立を見いだすことだ。「この2人が争っている最も重要なことって何だろう?」と自問しよう。

(吉田俊太郎訳、フィルムアート社、二〇一七年、七七-七八頁)

その根底にあるのは、「主人公の葛藤に敵役を巻きこむには、どの動機が最適か」という問いです。アラン・

ムーアの『バットマン：キリングジョーク』では、ジョーカーとバットマンは単にジェームズ・ゴードン警察本部長の運命をめぐって争っているわけではありません。ジョーカーは、ゴードンの娘バーバラにむごい仕打ちをしたあげく、ゴードンを苦難の境地へ陥れます。ジョーカーは、ごくふつうの人間でも「最悪の一日」を迎えれば、自分となんら変わりはないと証明したいのであり、バットマンは、それでも人はまだ善でいられると信じています。敵役の動機が、根本的に主人公の動機を反映しつつも相容れないことから、ふたりは衝突し、どちらか一方だけが優位に立ち、その正しさを証明する対立に自然と持ちこむことができます。

もうひとつの方法は、主人公の動機を対立させる形で共有することです。『ゴッドファーザー』（一九七二）では、ニューヨークの犯罪ファミリーたちのあいだで、ヘロインの密売について意見の相違が生じるという対立はたしかにありましたが、それは見せかけのもので、タッタリアとバルジーニの犯罪ファミリーは、家族、忠誠心、復讐に燃える正義感といった価値観に突き動かされて行動していたのは明らかです。『キリングジョーク』とは対照的に、敵役と主人公がこうした価値観を共有しており、共有しているからこそ、復讐と暴力の連鎖がストーリーの対立を煽るというわけです。

その動機の根底にある価値観によって、敵役が主人公と自然に対立するようにならなければ、ストーリーに関与する正当性がいまひとつではないでしょうか。敵役を駆り立てているのが強欲だとしても、主人公が他人や自分が強欲かどうか気にしなければ、話になりません。対立関係は自然に発生することなく、主人公も敵役も、ほぼだれとでも替えがきくでしょう。

対立を生み出すような異なる動機あるいは似かよった動機を持たせることは、ストーリーの勢いを主人公と敵役の動機の関係にしっかりと根づかせる効果的な方法です。

受動的または能動的な登場人物

敵役の動機は、受動的な動機と能動的な動機のあいだのどこかに存在します。前者はヒーローの目的を達成させまいと行動することで、後者は敵役が個人的な目的を達成するべく行動することで、目的をとげるためにはヒーローを倒すことも厭いません。

受動的な動機の一例として、シャーロット・ブロンテの『ジェーン・エア』の登場人物バーサ・メイスンについて考えてみましょう。バーサの動機は主に、エドワード・ロチェスターと結婚するという主人公ジェーン・エアの目的を達成させまいとすることです。もしジェーンが目的を持たず、達成しようともしなければ、バーサは何もしないでしょう。しかし、もしバーサがいなくても、バーサという障害がないだけで、ジェーンは変わらず自分の目的を達成しようとするはずです。このように、敵役が受動的であることで、多くの場合、主人公が興味深い人物になります。というのも、物語において主人公の主体性が増すからです。主人公がストーリーの方向性を定め、敵役がそれに応答するわけです。とはいえ、これが絶対的なルールだと思わないでください。受動的な登場人物のなかにも魅力的な例はたくさんあります。

童話『白雪姫』は、能動的な動機の極端な例です。女王は、国でいちばん美しくなりたいという動機から、目的を達成するために白雪姫を亡き者にしようとします。自分の目的へ向かって動機づけされる、この能動的な役割が、敵役としての女王を威圧的な存在に仕立てています。というのも、女王が行動することによって主人公たちは行動せざるを得なくなるからです。猟師を送り出すのも、コルセットの紐を売りつけるのも、毒を塗った櫛で白雪姫の髪をとかすのも、毒リンゴを与えるのも女王の決断であり、それがストーリーに緊張感を与え、物語を導いています。対照的に、白雪姫は目的さえ持たず、ストーリーの方向性を変えるような行動も起こしません。

誤解のないように言っておくと、受動的から能動的までの段階はひとつづきになっていて、ほとんどの敵役は、このふたつのあいだのどこかに位置します。たとえば、BBCの〈SHERLOCK／シャーロック〉シリーズのモリアーティについて考えてみましょう。モリアーティは、犯罪組織を弱体化させるというシャーロックの目的を達成させまいと行動するので受動的ですが、同時に、シャーロックを破滅させたいという目的を持っているので能動的でもあります。

敵役の動機を受動寄りにするか能動寄りにするかを決めれば、主人公と敵役をどんなふうに対立させるか考えるのに役立ちます。一般的な傾向として、受動寄りの敵役は主人公にストーリーの主体性を与え、能動寄りの敵役は主人公を脅かす存在となりますが、実際は多くの例外があり、これだけで敵役の動機の設計方針は決まらないことを覚えておいてください。

「いい人」な敵役

世のなかには文章を書くためのアドバイスが大量に出まわり、単純に大して役に立たないものもたくさんあります。ここではそのうちのひとつを取りあげます。それは、「最も魅力的な敵役は、自分のことを善人だと信じている者」というアドバイスです。

これは、かならずしも正しいとはかぎりません。この考え方は、八〇年代から九〇年代にかけて刊行された骨太なコミックに端を発す、近年のトレンドで脚光を浴びたもので、マーク・ローレンスの『いばらの王子』（未訳）などのダークファンタジーの台頭を経て、現在は、ライアン・ジョンソン監督の『スター・ウォーズ／最後のジェダイ』（二〇一七）の脱構築的リアリズムに見られるように、善のヒーローと悪の敵役という二元的な道徳ではなく、敵役を尊敬させたり、敵役に同調させたりするような、どっちつかずな道徳を選択するというものです。

こうした経緯から、敵役は自分がいい人だと信じていないといけないという風潮が生まれました。

そのような敵役を登場させることは悪いことではありません。ジョン・ミルトンが『失楽園』でルシファーを共感できる敵役にしたように、ものすごく魅力的な登場人物を生み出すことができます。アラン・ムーアのグラフィック・ノベル『ウォッチメン』では、読者は、オジマンディアスの権威への幻滅や、人間同士が争い合うことに対する怒り——オジマンディアスを行動へ駆り立てる体験——に共感します。「いい人」な敵役の動機づけがうまくいく理由は、複雑で深みのある印象を与える、より親近感のある登場人物を作り出すからです。人はだれしも、自分がとても思慮深い人物だと思いこんでいるうぬぼれ屋であったりします。その複雑さが生じるのは、いつの世でも議論の的となる微妙な話題について、道徳的に特定の立場をとることが多いからというだけでなく、その複雑な道徳的な動機が、愛、貪欲、恐怖など、人間のあらゆる経験と結びつきやすいからです。

緊張感

「いい人」な敵役は、ほかの登場人物ができない方法で、ストーリー全体の緊張感を高めることもできます。敵役について表現したものに、正反対とまでは言いませんが、共感という感情とはほど遠い、「最高の敵役とは、倒されるのを見て読者が歓喜する者である」というものがあります。繰り返しになりますが、このような普遍的な定義は、ほとんどの場合、まったくの的はずれか大まかすぎてまるで役に立ちません。マイケル・ハースト製作のテレビドラマシリーズ『ヴァイキング～海の覇者たち～』では、エグバート王とラグナル王が互いに敵対します。しかし、視聴者は主人公のラグナルだけでなく、ライバルのエグバートにも戦いに負けてほしくないと思うほど、理解し、共感し、愛するようになります。これにより、おもしろい緊張感が生まれます。「いい人」な敵役は、読者の緊張感を生み出すことを可能にし、『ヴァイキング～海の覇者たち～』と同様に、ストーリーに独特の悲劇的な含みを持たせることができます。このようなトーンや緊張感のある設定は、単に「倒されるのを見て読者が歓喜する」タイプの敵役では達成できません。

テーマ

「いい人」な敵役は、ストーリーのテーマをさらに発展させるため、その動機を利用しやすくなります。『ウォッチメン』からさらに例をあげると、世界が混乱へもどるのを防ぎたいという動機から、ある人物を殺害するDr.マンハッタンの決断は、真実や正義、あるいは「ヒーロー」という概念に内在する価値について、読者に疑問をいだかせるものです。

テーマは主に、ストーリー上の課題に立ち向かう主人公の経験を通じて探求されます。ですが、多くの場合、その探求はとらえがたく、まさに行間に書かれているものです。ヴィクトル・ユーゴーの『レ・ミゼラブル』では、法律、秩序、真実、正義に絶対的な道徳観を持つジャベールの動機と、ジャン・バルジャンの贖いを信じる気持ちと道徳から法を分離する信念は、鋭い対比をなしています。ユーゴーはこの対比を、ふたりの葛藤を媒介するものとして、またテーマに代わるものとして利用しています。道徳的にどっちつかずな敵役の動機によって、「悪人の」敵役にはできない方法でテーマを探求することができます。複数の視点による包括的な議論を展開しやすくなるので、単なる物理的な関係ではなく、イデオロギーにおいて主人公と敵役の多面的な関係を生み出すことができます。

しかし、読者にとってテーマが強引に感じられる危険性があるので、やりすぎは禁物です。これは、敵役とヒーローとの対立が明らかに寓話的だったり、イデオロギー面のやりとりが白熱しすぎたりして、背景を作り出すはずのキャラクターアーク〔物語を通じて生じる登場人物の変化〕や経験が欠けている場合に起こりがちです。ふたりが作者の代弁者のように思えてしまうのです。

だからといって、敵役が自分のことを「いい人」だと信じなければならない道理はありません。人はしばしば、ときには恐怖や中毒から、してはいけないとわかっていることをしてしまうし、自分の行為は道徳的にかならずしも正しいとはかぎらないが、ただまちがってはいないと考えることはよくあります。その好例が、ジョージ・R・R・マーティンの〈氷と炎の歌〉シリーズに登場するタイウィン・ラニスターです。タイウィンはラニスター家のリーダーとして、キャスタミアのレイン家をはじめとする人々の大量殺人を指揮しました。しかし、タイウィンは自分を「善」とも「悪」とも見なしていません。タイウィンを突き動かしていたのは、義務、家の存続、名誉です。タイウィンは自分自身のことを、一貫性があり、影響力のある、尊敬される指導者と見なしていましたが、この人物を「いい人」に還元してしまうのは、あまりにも単純化しすぎるというものです。

ある行為がまちがっているかどうかなど、そもそも気にしない者、あるいは善悪など信じない者も少なからず存在します。トマス・ハリスの『羊たちの沈黙』に登場するハンニバル・レクターが、その代表的な例です。

こうした敵役は、だれも自分のことを「いい人」とは思っていない、風変わりで魅力的な登場人物です。敵役に自分自身のことを「善」または「悪」と見なすように強要すると、自分自身を人間としてどう考えているのかが制限され、実際にはもっと複雑にもかかわらず、動機もこの二元的な道徳観に限定されがちです。その結果、敵役の動機に関連するテーマが損なわれてしまいます。「善」または「悪」という概念に単純化できるテーマはほぼないからです。

世界を救う（セーブ・ザ・ワールド）ストーリー

先へ進む前に、トニー・スタークの週末の予定、すなわち世界を救う（セーブ・ザ・ワールド）ことについて考えてみましょう。敵役の最終目的は動機と密接に結びついており、目的の大きさは必然的に、ストーリーの緊張感を構築する方法に影響を与えます。敵役の計画は、編みもの好きなコックニーのニワトリを殺害することから、この宇宙はおろか、あらゆる宇宙や現実世界の生命をひとつ残らず抹殺することまで、多岐にわたります。

緊張感を高める要因のひとつは（ほとんどの作家はすでに承知しているでしょうが）、ストーリーの危機を増大させることで、主人公がしくじれば失いかねないものを危険にさらすという展開です。ストーリーを通して、そうした危機は、クライマックスポイントまで絶えず上昇します。このポイントは、「やるかやられるか」の瞬間と表現されることも多く、一歩まちがえば主人公がすべてを失いかねないと思わせる場面です。スティーヴン・キングの『アンダー・ザ・ドーム』から例をあげると、主要人物のバービーとジュリアがほかの人々は生き残らせてほしいとエイリアンに懇願するシーンです。それまでのストーリーで、主要人物たちにこの瞬間ほど危機が迫ったときはありませんでした。

そして、敵役が世界の破滅や乗っとりを企んだり、黙示録的な方法で世界を根本的に変えようともくろんだりするような「セーブ・ザ・ワールド」ストーリーでは、ここで問題が生じます。やるかやられるかの瞬間の緊張感は、危険にさらされているものがなんであれ、失われる可能性を読者が信じられるかどうかにかかっています。ですが、世界が乗っとられたり破壊されたりする可能性を読者に納得させるのは、とてつもなくむずかしいことです。たとえ個々の登場人物は死ぬかもしれなくても、世界はつづき、ヒーローが勝利して「めでたしめでたし」で締めくくる話は巷にごまんと出まわり、わたしたちはそんなストーリーに慣らされてきました。書くという行為のひとりよがりな性質が、そんなファンタジーに表れています。しかし、このことが意味するのは、ストーリーのなかですべてが破壊される可能性を示し、そのことのみから緊張感を作り出そうとしても、大してはらはらしないということです。単純に、読者が信じないからです。

そのような理由から、ストーリーの緊張感は、全世界の運命ではなく登場人物や関係する物事の運命から作り出すほうが効果的です。そのすばらしい例が、『ドクター・フー』のエピソード「火星の水」です。恐ろしいウイルスが地球へ到達するのを阻止しようとする登場人物たちの手に世界の命運がかかっています。しかし、ストーリーにおいて、この点についての緊張感は二の次で、ドクターが全員を生きたまま救い出せるのか、あるいは救い出すべきなのかどうかをめぐる緊張感のほうが強力です。同時に、ウイルスが次々と登場人物を殺していくにつれて、つぎはだれが死ぬのかという点でも大いに緊張感が高まります。この「セーブ・ザ・ワールド」ストーリーでは、つぎのような方法でサスペンスが構築されています。

1. 主人公たちが、敵役であるウイルスがすべてを破壊するという目的へ近づいているかどうかよりも、自分や仲間が死ぬかどうかを気にしている時間のほうがはるかに長い。
2. たとえ敵役がもたらす危険が世界的な規模だとしても、その脅威は主に、登場人物一人ひとりに迫ることで確立されます。もし視聴者が、ストーリーを通して人々に実際に命の危険が迫っていることを知らなければ、クライマックスでその命が危険にさらされると信じる可能性は低くなります。
3. ドクターがクライマックスで直面する障害は、ウイルスが地球に到達するのを阻止するのにぜったいに必要ではないものの、ウイルスが人々を殺すのを阻止するには不可欠です。実際、主人公たちは、いざとなったら自分たちが取り残されるという代価を払って、基地を爆破してウイルスを殺せることを、かなり早い段階で明らかにしています。

敵役の動機と最終目的が、わたしたちがよく知っている世界の破滅に関わるものである場合、登場人物や関係する物事の運命から緊張感を作り出せば、効果的に維持することができます。また、没入感を高める効果もあります。読者は通常、世界とか漠然とした人口とか、個人的には共感できないものよりも、登場人物に愛着を持つからです。

まとめ

1. 敵役の動機の背後にある価値観を示すことは、その役割を際立たせるのに役立ちます。動機の規模を見せることで、敵役がどんな脅威をもたらすかを示す手がかりになります。敵役はストーリーのなかで複数の目的や優先事項を持つことができ、それらを対立させることで、ストーリーをさらにおもしろくすることができます。
2. 敵役を主人公と対立させる最もよい動機を見つけることが重要です。そのための方法は、敵役の動機に主人公の動機を反映させつつも一致させないこと、互いの動機を共有させて対立へ引きこむこと、このふたつです。
3. 受動的な敵役はヒーローの主体性を強調する傾向があり、能動的な敵役は威圧的な印象を与えます。
4. 「いい人」な敵役は読者に親近感を覚えさせ、ストーリーに独特の悲劇的な色合いをもたらすので、作者がテーマを展開しやすくなります。しかし、動機を「善」か「悪」かに単純化できることはめったにありません。

5.「セーブ・ザ・ワールド」ストーリーでは、クライマックスの緊張感を持続させることが困難です。これに対処するひとつの方法は、登場人物や関係する物事の運命から緊張感を導き出すというものです。

第6章

ヒーローと敵役の関係

本章で扱う作品

『鋼の錬金術師』
『ダークナイト』
『ドクター・フー』
〈SHERLOCK／シャーロック〉シリーズ
『指輪物語』
ほか

主人公と敵役の関係といっても、インターネットの奥深いファンフィクションの片隅に隠された、ジョーカーとバットマンのロマンチックな冒険のことではありません。そうではなく、主人公と敵役が張り合うことは、本質的にストーリーの原動力のひとつで、そこから対立や登場人物の変化を導き出すことができます。しかし、作者はこの関係をどのように組み立てて、良質のストーリーへ発展させるのでしょうか。

ひとつは、すばらしい主人公と魅力ある敵役を考え出すことですが、そのふたりが同じ物語のなかでうまく機能するストーリーを書くのは、また別の話です。テリー・プラチェットの『ホグファーザー』（未訳）のスーザン・ストー・ヘリットはすてきな主人公で、荒川弘の『鋼の錬金術師』のお父様は興味深い敵役ですが、このふたりが同じストーリーのなかに配されないのには理由があります。

主人公も敵役も、真空には存在しません。彼らは、ジョン・トゥルービーが『ストーリーの解剖学』で言うところの、人々が互いに関係し合う「キャラクターウェブ」のなかに存在します。スーザンがすばらしい主人公になり、お父様がすぐれた敵役になるのは、それぞれのキャラクターウェブのなかで、その他の登場人物とうまく適応しているからにほかなりません。スーザンは、皮肉っぽくクールでユーモアに欠け、死神の孫娘であるということが、ストーリーに興味深い原動力を生み出しています。また、住みこみの家庭教師という役まわりから、暗殺者のミスター・ティータイムが、子供たちの想像力を利用してホグファーザーを抹殺しようとしていることを気にかけるという特殊な立場に置かれます。スーザンは、想像力と幼いころの信じる気持ちのたいせつさを理解するようになります。一方、『鋼の錬金術師』のお父様は、真理を追求する絶対主義者で、生と死を操って不死身になるという願望をいだいています。主人公のエドワードとアルフォンスのふたりは、母親を蘇らせようとして同じことを試みましたが、その目的とは大ちがいです。お父様の目的は、ほかの登場人物の経験を関連させることで、より意義深いものとなります。

作者がキャラクターウェブを使って、ストーリーの登場人物同士を積極的に比較したり対照させたりしていなくても、読者は知らず知らずのうちに、確実にそうしています。わたしたちは、登場人物のまわりにいる人々――どんなかかわりがあり、だれと衝突し、どんなふうに処理するのか――を観察して、その人のことをもっとよく理解しようとします。そして、このウェブのなかで、主人公と敵役のライバル関係に勝る関係はほとんどないと言っていいでしょう。この主人公と敵役の葛藤を利用して、作家はドラマチックな緊張感を構築し、テーマを発展させ、ストーリーの展開に危機を設定することができます。

そのため、すぐれた主人公と敵対者の関係の多くは、結局のところ、「必要性」ということばで表すことができます。つまり、すぐれた敵対者は主人公にとって必要なのです。単に「プロットがそうなっているから」戦ったというのでは不十分です。ジョン・トゥルービーがつぎのように主張しています。

> メインのライバルは、主人公の一番の弱点を攻撃することに世界一長けている人物だ。（中略）主人公が弱点を乗り越えることを強いる（中略）弱点を乗り越えなければ完全に崩壊してしまう状況に主人公を追い込む（中略）主人公が成長するために必要なライバルということになる。
>
> （吉田俊太郎訳、フィルムアート社、二〇一七年、一四五頁）

この必要性を、構造から、イデオロギーから、そして共通点から明らかにする方法について説明します。

構造

ライバル関係を発展させるひとつ目の方法は、純粋に構造的なもの、つまり主人公と敵役が同じものをほしがることです。これは、J・R・R・トールキンの『指輪物語』のように、善と悪の両サイドが中つ国を支配するために争うといった明確な場合もあれば、クリストファー・ノーランが脚本も手がけた映画『ダークナイト』のように抽象的な場合もあります。『ダークナイト』では、バットマンは秩序をもたらすために、ジョーカーは混沌をもたらすために戦っているように見えるかもしれませんが、本質的に、ストーリーはもっと繊細です。映画のクライマックスでは、ジョーカーがテーマの代弁者となり、つぎのように言います。

「ゴッサムの魂をかけた戦いで、おまえと殴り合って負けるとでも?」

ふたりは、ゴッサムの「魂」をかけて戦っているのです。

能動的な登場人物は、ストーリーの方向を変えることを選択し、受動的な登場人物は、ストーリーの方向に反応します。『ダークナイト』では、バットマンとジョーカーは互いに反応し合い、策略を練りながら対決します。どちらもライバル関係を築くために積極的に行動します。ヒーローと敵対者に同じものを求めさせることで、早い段階で利害関係が確立され、結末を迎えるときには、いずれか一方のみが残ることになります。このライバル同士を等しく活動的なキャラクターにして、互いに反応させて策略を練らせることで、どちらもストーリーを左右する主体となり、読者にとってより脅威を感じる敵役にすることもできます。

「必要な」敵の瞬間

ライバル関係を構築するには、この人物こそが主人公を攻撃するのに「必要な」敵だということを示す瞬間が必要です。作者は、その瞬間を使って、読者だけでなく主人公にもその敵が必要だと理解させる必要があります。しかし、ストーリーにおけるこの重要な場面が、土曜の早朝アニメで見られるような、簡潔きわまりない台詞のみで表現されると、どうしても説得力に欠けます。「なんということだ、脇役くん、きみはぼくたちが直面した最大の脅威だ――先週のエピソードと同じようにな！」

この場面の書き方のひとつは、敵役に、これまでだれも成しえたことのない方法か、きっとできない方法で、主人公に危害を与えさせることです。その瞬間の損失、痛み、結果においてのみ、その人物が「必要な」敵として際立つものを表現することができます。ラッセル・T・デイヴィスが脚本を担当した『ドクター・フー』のエピソード「タイムロードの最期」から、実に興味深い例を紹介します。ドクターの特徴の大部分は、時間戦争以降、自分が最後のタイムロード（古代の地球外生物の種族）だと信じていたことです――マスターも生き残っていることを知るまでは。クライマックスで、ドクターはマスターを倒して捕虜にしますが、マスターは心を病んだ妻に撃たれてしまいます。マスターやドクターのようなタイムロードは再生することが可能で、本来なら致命的な怪我を負っても生き返ることができるのですが、マスターはそうしようとしません。

ドクター「大丈夫、ぼくがついている」
マスター「女ってのは……」

ドクター「気づかなくて」
マスター「きみの腕のなかで死ぬんだ。満足か？」
ドクター「再生すればいい」
マスター「いや」
ドクター「できるさ」
マスター「わからんやつだな。頼む。〝断る〟」
ドクター「生まれ変わるんだ。頼む。ほら早く」
マスター「一生監禁されて、きみと過ごすためにか？」
ドクター「頼む。こんな終わり方はいやだ。むかしを思い出せ。アクソン人やダーレクと戦ったろ。もうふたりきりだ。最後の仲間だ。再生しろ」
マスター「結局、わたしの——勝ちだ。止まるか。ドラムは——止まるか？」

ドクターは、自分がもう種族の最後の生き残りではないという希望に必死にしがみつき、マスターは、宇宙でただひとり、みずからの死によってそれを奪うことができる人物だったのです。
ストーリーのこのような瞬間の興味深い使い方をいくつか紹介します。

1．『レジェンド・オブ・コーラ』の第一シーズン第一部（第一二話）では、敵役のアモンが、主人公のコーラをほかのだれにもできない方法で打ちのめしました。アモンは、コーラが人生の大半を費やしてみずからを定義してきたもの、すなわちアバターとしての力を奪いました。これは最終エピソードでしか起こらないことであり、コーラがずっと恐れつづけていた脅威です。[*1]「必要な」敵と対峙する瞬間をストーリーの結末付近に置くことで、実際にその瞬間が訪れるかどうかを軸に、ドラマチックな緊張感を作り出すことができます。この敵役は、だれにもできない方法で自分を傷つけることができると、主人公は長いこと知っているのかもしれません。

2. 別の方法として、「必要な」敵の瞬間をストーリーの冒頭付近に置くこともできます。イアン・コルファーの『アルテミス・ファウル　オパールの策略』では、ストーリーの書き出しで、妖精のホリー・ショートが心から頼りにしていたジュリアス・ルートが敵役に殺害されます。ホリーは傷つき、このあとのストーリーでは、ホリーがジュリアスなしで自立することを学んでいきます。この瞬間をストーリーの冒頭近くに置くことで、主人公は敵がもたらす重大な脅威を目の当たりにし、より陰鬱なトーンが要求され、そして多くの場合、この恐ろしい瞬間が及ぼす影響に対処する物語になります。

冒頭であろうと結末であろうと、重要なのは、敵役を「必要な敵」に変えるためには、この瞬間をぜったいに起こさないといけないということです。

場合によっては、この脅威を読者には理解してもらいたいけれど、主人公にはずっとあとになるまで（おそらく手遅れになるまで）理解させたくないこともあるでしょう。これは、主人公が敵役を過小評価していたり、その瞬間が訪れるまでだれが敵役なのか知らなかったりするストーリーによく見られる手法です。論理的には、その瞬間は、登場人物に秘密を明かさないように結末近くに置く必要があります。しかし、敵役の視点から書いたり、プロローグやフラッシュフォワード（未来のことについて語る手法）のシーンを挿入したりすることで、敵役の能力や意図を読者に明かしておけば、読者は、主人公が気づかないまま向かっていくものを知ることになり、劇的アイロニー〔劇中人物がみずからの状況について知らないことを観客は知っていて、劇中人物という当事者の無知を目のあたりにする効果〕の緊張感を作り出して、その結末をより辛辣なものに仕立てることができます。

イデオロギー

主人公と敵役のライバル関係を構築するときに、物理的に対立させるだけでなく、イデオロギー面でも対立させるほうが、多くの場合、ストーリーのおもしろさが増します。登場人物に独特の信念や価値観を与えることは人物描写に役立ちますが、前述のとおり、登場人物はキャラクターウェブのなかに存在し、真空のなかに存在するわけではありません。主人公が敬虔な菜食主義者のモルモン教徒で、敵が異種族を自認する分離派の共産主義者だったとしても、ストーリーのなかでこのふたつのイデオロギーが対立しないかぎり、物語にはほとんど影響ありません。

これについてのわたしのお気に入りの例は、フランク・ミラーの『バットマン：ダークナイト・リターンズ』です。[*2] スーパーマンとバットマンのあいだで展開するライバル関係は、ゴッサムのために物理的に戦うだけではありません。大まかに言えば、個人主義者であるバットマンは自身のモラルにもとづいて行動し、集団主義者であるスーパーマンは政府のために行動するというイデオロギーをめぐる戦いです。先ほど説明した要点に合わせると、ヒーローと敵が同じものを追い求めている場合、そのイデオロギーのちがいによって、同じ問題に対する別々のアプローチを対照させて強調することができます。主人公と敵役のライバル関係をイデオロギーをめぐる争いにすることで、敵役ははるかに個人的な方法で相手に挑めるようになります。それは、両者の存在、動機、哲学の核心に迫るものです。メインのドラマチックな要素とテーマを一体化させるだけでなく、主人公にも敵役にも自分の価値観を考えさせることで、それぞれの成長をあと押しすることになります。

1.「必要な」敵に挑まれたとき、どの価値観を貫くのか。
2.どの価値観を曲げ、どこを壊すのか。

通常、この種のストーリーは、敵が敗北し、主人公だけが自分自身や自分の哲学について何かを悟ることでクライマックスを迎えますが、現実には、一方が完全に正しく、他方が純然たる悪であることは、きわめてまれです。そのため、このありふれたパターンからあなたのストーリーを区別する方法として、敵役と主人公の両方が最後に自己発見に至る「二重の反転」を使うのもいい考えです。結局のところ、敵役のイデオロギーも危機に瀕しているわけですから。

『ドクター・フー』のエピソード「火星の水」では、ドクターは自分が支配的で行き過ぎていたことに気づき、アデレイド・ブルック（敵役ではないがドクターと対峙します）は、自分が生き延びることで、時の流れを変えてしまうことに気づきます。視聴者は、主人公だけでなく、両者の行動と自己発見によって、ストーリーの道徳観を理解します。二重の反転は、敵役にキャラクターアークを与えることで人間味が加わるだけでなく、イデオロギーをめぐるライバル関係に、ニュアンスを含んだ解決をもたらします。

だからといって、敵役が善人になる必要はありません。変化はすれども、これまでの考えを改めないというのも妙案です。もちろん、敵が一般的なダークロードのように子犬を喰らったり孤児の魂を喰いつくしたりするような設定しか与えられないのであれば、これは不可能に近いです。スティーヴン・キングの大作〈ダーク・タワー〉シリーズでは、クリムゾン・キングが、ディスコルディアの主、サタン、反キリストなどといった悪の肩書きをほしいままにしています。そんな人物が突然、人々を抱擁し、あたたかいミルクをふるまったりするのは奇異に感じるでしょう。このような敵役でもまったく問題ありませんが、ストーリーを際立たせるつもりで起用するのは、おすすめできません。

共通点

興味を引くライバル関係を構築する三つ目の方法は、両者の共通点を使用することですが、この点はよく誤解されています。すでに述べたように、登場人物は真空ではなくキャラクターウェブのなかに存在するので、読者は登場人物をストーリーのほかの登場人物と比較したり対照させたりすることで、より深く理解するようになります。ふたりの登場人物が、両者のちがいを強調するように真逆の存在である場合、互いにとっての「引き立て役」となります。このパターンは、比喩的表現を多く含む文芸のなかでもかなり古くから使われているものです。おそらく最も有名な例をアーサー・コナン・ドイルの作品から紹介しましょう。シャーロック・ホームズの無礼で居丈高なふるまいは、ワトソンの社交性を強調し、ワトソンの理路整然としたアプローチは、ホームズの衝動性を強調します。多くの場合、敵役が主人公の引き立て役で、その逆もまた同様であれば、良好なライバル関係が自然と発展します。しかし、ちがいを際立たせるような強力な共通点がないかぎり、ふたりの対比は弱まります。

能力

この力関係を文章にする方法のひとつに、敵役と主人公に似たような能力を与えるというものがあります。イアン・コルファーの〈アルテミス・ファウル〉シリーズでは、アルテミス・ファウルとオパール・コボイはともに優秀で、自分の目的のために周囲の人間を操縦できるほどの才覚があり、技術や科学の天才でもあります。しかし、こうした共通点は、ふたりの価値観のちがいだけでなく、アルテミス・ファウルが第一作目から人間的にいかに成長したのかを強調するものでもあります。

人格または信念

グレッグ・バーランティ、マーク・グッゲンハイム、アンドリュー・クライスバーグが企画を手がけた〈ARROW／アロー〉シリーズでは、主人公のオリバー・クイーンと敵役のマルコム・マーリンは、ともに道徳的に実利主義の自警市民であり、有意義な人間関係を築くのが苦手で、強い独立心を持っています。そうしたことから、どちらも誘拐や殺人に至るまで、いかがわしいことに手を染めることになります。オリバーはシリーズを通して変化していきますが、それは、マルコムとのライバル関係を通じて変化せざるをえなくなるからで、マルコムは完璧な引き立て役となります。

バックストーリー

J・K・ローリングの〈ハリー・ポッター〉シリーズでは、ハリーもヴォルデモートも孤児であり、マグルに育てられ、自分はよそ者だと感じ、ホグワーツをどこよりも自分の居場所だと思っていました。このような共通点が重要なちがいを強調します。どちらも最初は愛されていないと感じていましたが、ハリーはホグワーツへ入学してすぐに友情の力を学びました。このちがいが、第二次魔法戦争の行方を大きく変えることになります。「必要な」敵は、主人公を攻撃するのに最適な相手です。共通点があれば、相手は主人公のことをよりよく理解して予測できることから、主人公を弱体化させることができるだけでなく、読者がより感情移入できるように、両者のライバル関係におけるドラマチックな焦点を、限られた数の差異に絞ることができます。

行き過ぎた共通点

最近の傾向では、この「共通点」という考え方を極端にして、主人公と敵役を、一方をヒーローに、もう一方を悪役にするために必要なこと以外、事実上あらゆる点で似せる例がよく見られます。そしてこれは実際にうまくいきます。スティーヴン・モファットとマーク・ゲイティスが脚本を担当した〈ＳＨＥＲＬＯＣＫ／シャーロック〉シリーズのシャーロック・ホームズとジム・モリアーティのライバル関係には、えも言われぬ満足感があります。ふたりは似たような服装で、似かよった個性を放つ俳優を起用し、エキセントリックな性格は共通していて、一方は「コンサルタント探偵」を名乗り、もう一方は「コンサルタント犯罪者」を名乗ります。このドラマでは、ふたりを並べたショットがふんだんに登場します。この対称はよく理解できますし、すばらしく目を引きます。文学的なシンメトリーを好まない人などいませんからね——まあ、たしかに、これは少し偏った意見です。わたしは文学的なシンメトリーにちょっとした憧れを持っているので、この意見は執筆術においてのシンメトリーの実益を反映していないかもしれませんが、漫画にいつもこの傾向が見られるのには理由があります。

とはいえ、「必要な」敵をデザインしたり、効果的なライバル関係を築いたりするのに、高度なシンメトリーは必要ありません。そのうえ、共通点を強調しすぎると、しばしば陳腐で単純化された敵役となり、ヒーローに見られる特徴以外の性格描写があまり許されないような感じがします。そうなると、両者のあいだには薄っぺらなちがいだけが残ることになります。

また、このパターンは、敵役が「わたしとおまえは似た者同士だ」と言い放ち、主人公が「ちがう！」と絶叫する、あの悪名高い瞬間にもつながりかねません。この発言が真実とはほど遠くても、ふたりが似たようなバックストーリーや能力を持っているというだけで、事実のように感じられます。このようなシーンは、うまく描写しないと迫力に欠け、読者ばかりか登場人物の印象にも残らない、薄っぺらな共通点を強調することになります。その代わり、ストーリーを通して、主人公が道徳的にも心理的にも自分の限界と格闘しつづけ、敵との共通点に疑問を生じさせることで、敵が「わたしとおまえは似た者同士だ」と言い放つ瞬間のダメージをはるかに高めて説得力を持たせることができます。別の方法として、〈SHERLOCK／シャーロック〉シリーズのエピソード「ライヘンバッハ・ヒーロー」では、シャーロック・ホームズが敵役を嘲笑うことで、この図式を巧妙に覆そうとします。

ジム「きみの兄も当局もぼくに強制はできなかった」
シャーロック「ぼくは兄とはちがう。ぼくはきみだ。なんでもする。人を焼き尽くすことも、凡人がやらないことをする。きみと同じくらい邪悪な人間になれる」
ジム「無理だ。はったりだな。きみは凡人。天使の側にいる凡人だ」
シャーロック「天使の側にいるからと――ぼくについて勘ちがいをするな。ぼくは天使じゃない」
ジム「たしかに。きみはちがう」
ジム［やんわりと、狂気じみた表情で］「なるほど。きみは凡人じゃない。ちがう。きみはぼくだ」

共通点を使うこととは対極的な手法に、敵にまったく異なる能力を与えるというものがあります。これも同じく魅力的です。バットマンは天才的な立案者であり武術家であるのに対し、ジョーカーは予測不可能で、策略と裏工作に頼って敵と戦います。このように、まるで異なる戦略を駆使するジョーカーは、バットマンにとって唯一無二の挑戦者です。主人公は、まったく準備ができない戦場で戦わなければなりません。

主人公を、根本的に異なる能力を持つ敵役と戦わせることで、主人公が変化するまたとない機会が生まれます――通常の戦術はもはや通用せず、敵を阻止するために必要な新たな戦略には、道徳観や忠誠心の変化がともなうかもしれません。[*3]

作者のビジョンを示すのに不可欠な「完全悪」の敵役

トールキンの『指輪物語』のサウロンや、『アバター　伝説の少年アン』の火の王オザイのように、主人公とのあいだに強烈で内省的なつながりを持たない登場人物でも、多次元的な複雑さで際立った「キャラクター」と称されるほどの個性を放てば、ストーリーにおいて重要で興味深い役割を果たすことができます。ここ一〇年の傾向として、目的はりっぱでも手段がうたがわしい、あるいは手段はりっぱでも目的がうたがわしい「道徳的にどっちつかず」な悪役が増えています。これは、『指輪物語』、『時の車輪』、『ナルニア国物語』といったファンタジーの礎となる作品において、「完全悪」の敵役が優位を占めていたことへの反動によるところが大きいです。とはいえ、「完全悪」の敵役に価値がないわけではありません。

トールキンの神話は、カトリック教に対する自身の信仰、神学、そしてそこから得た善と悪の理解によって豊かになりました。サウロンについては、裂け谷の領主である半エルフのエルロンドが的確にこう述べています。「どんなものもその始まりから悪いということはないのだから。サウロンとて例外ではなかった」（『指輪物語〈3〉旅の仲間 下1』瀬田貞二・田中明子訳、評論社、一九九二年、一二八頁）。中つ国のすべての生命と平和を脅かす闇の王も、かつてはヴァラである鍛冶・工芸の神アウレに仕える真面目で野心的なマイアールでした。このニュアンスを読者に伝えないといけません。トールキンは、万物は善からはじまり、堕落して悪になるだけだと考えていました。このパターンは聖書の随所に見られます。神は自身の創造物をご覧になり、人間がそれを堕落させる前は、それが善であると見なしました。人間もまた、心に悪を宿して堕落するまでは、信心深く誠実だったのです。トールキンの作品世界には、最初は無邪気なホビットだったスメアゴルのような登場人物にも、はじまりは善であるという信念が浸透しています。サウロンは創造することはできませんが、生きものを堕落させ、ねじ曲げ、怪物めいた下僕にすることはできます。トールキンは、善と創造を結びつけています。ストーリー上の敵役としてのサウロンの立場は、善と悪の原則を明確にするものです。それが〈氷と炎の歌〉シリーズのタイウィン・ラニスターに見られる道徳的な曖昧さよりも価値が低いなどと、だれが言えるのでしょう。

『アバター　伝説の少年アン』の火の王オザイはどうかと言うと、主人公のアンは平和主義と非暴力を信条とし、暴力は断じて問題の解決にはならないと繰り返し口にします。アンはまた、人はかならず救済できると信じており、その証拠に、人々が拒絶する追放された王子ズーコを受け入れる姿勢を何度も見せています。この点についてのアンの決意を試す唯一の方法は、まぎれもなく邪悪な存在と闘わせることです。それは、子供を虐待し、大量殺戮を実行するサイコパスで、鉄と炎の拳で世界を支配しようと躍起になっている人物、つまり火の王オザイのことです。この敵役がいなければ、主人公のアンはここまで深く、個人的に試されることはなかったでしょう。

「完全悪」の敵役は、ストーリーにおいて作者のビジョンを示す重要な役割を果たしますが、火の王オザイのようにヒーローを有意義な方法で試すことも、サウロンのように作品に織りこまれた壮大な理念を支えることもできなければ、多くの場合、問題が生じます。

まとめ

1. すぐれたライバル関係は、ヒーローを「必要な」敵と闘わせることになります。両者が同じものを追い求めることで、受動的から能動的な登場人物へ変化させます。
2. ある敵対者が、そのほかの人々では成しえなかった方法で主人公に危害を加えたときに、はじめて「必要な」敵になります。このアクションを起こす独創的な方法はいくつもあります。その瞬間を結末近くに置くと、それが実際に起こるのかどうかを軸に緊張感を高めることができます。その瞬間を冒頭近くに置くと、主人公は敵がもたらす重大な脅威を目の当たりにし、より陰鬱なトーンが要求され、そして多くの場合、この恐ろしい瞬間が及ぼす影響に対処する物語になります。
3. 主人公と敵役のライバル関係をイデオロギー面で対立させることで、それぞれの葛藤をテーマと統合できるだけではなく、両者の成長もあと押しすることができます。
4. 敵をヒーローの引き立て役にすることで、物語のドラマチックな焦点を絞ることができます。これは能力、人格、バックストーリーに共通点を持たせることで実現できます。ただし、クリシェ（ありがちで使い古された表現）となる場面につながりかねませんし、敵役を成長させるアプローチには、ほかにもユニークな方法があります。
5. 「完全悪」の敵役は、主人公と内省的なつながりがなくても機能しますが、説得力を持たせるためには、作者のビジョンを示すという別の目的を果たす必要があります。

注

＊1　余談ですが、『レジェンド・オブ・コーラ』の第一シーズン第一部は、この場面を物語の後半に置いて、三部構成の長編にするのがベストだったでしょう。その場合、第一部は共和城でコーラがアモンを倒すところで終わりにして、コーラがアモンを倒す方法が、世界じゅうの反ベンダーの感情をさらに刺激するという展開にします。非ベンダーを煽るために、アモンがみずから敗北を計画したことにしてもいいくらいです。さらに平等主義者の革命が世界各地で勃発し、アバターは鎮圧に向けて駆けまわらなくてはいけません。第二部は、より古典的な旅の構成にして、アモンを倒す試みで終わります。その際、コーラは曲げの技の力を失います。このようにすれば、アモンが世界にとって脅威であることを（実際に勝利したことを）確立するための猶予をストーリーに与えることができます。しかし、さらに重要なのは第三部で変化を描くことです。第三部では、ベンダーであることを生涯自負してきたコーラが、非ベンダーであることを受け入れるための学習に費やします。これが精神的な悟りの境地へつながり、ひいてはコーラの気の技の力を解き放つことになります。実際の第一部では、コーラは危険にさらされた仲間のマコのために力を解き放ち、それでおしまいです。どうにも安っぽく、労せずして得たような印象が否めません。コーラはほんとうの意味で精神的な覚醒を得ることはありませんでした。三部構成の長編にすれば、この瞬間は強力になり、アモンはより危険な敵役となり、コーラのキャラクターアークはより明確で啓発的なものになったでしょう。

＊2　この作品をもとに、『バットマンvsスーパーマン　ジャスティスの誕生』（二〇一六）は制作されましたが、まったくの期待はずれでした。わたしが残念に思うのは、監督のザック・スナイダーとDCが映画で犯しているミスが、単純な脚本のミスだという点です。ゾッド、ドゥームズデイ、ワンダーウーマン、ルーサーのストーリーをまるごと削除しても、重要なものは何も失われません。バットマンにスーパーマンは脅威だと信じさせるもっともな理由を持たせ、スーパーマンを政府となれ合いの関係に仕立てたうえで、正当な道徳的立場をめぐって争わせるほうが、はるかに締まりのある、おもしろいストーリーになったでしょう。ストーリーは、「マーサ」という予想外の共通項を発見し、ふたりが和解した時点で終わってもいいくらいです。ほかのすべてが筋の通ったものであれば、わたしはこれほどがっかりしません。

＊3　バットマンとジョーカーをすでに何度も使いすぎているので、これを本文に入れたくはありませんでした。ですが、『ダークナイト』におけるクリストファー・ノーランとジョナサン・ノーランの脚本には心から敬服しています。ジョーカーによってバットマンは、道徳的に問題のある監視システムを使うことを余儀なくされ、これが技術者のルーシャス・フォックスがバットマンに背を向ける原因となります。

第7章

最終決戦

本章で扱う作品

『指輪物語』
『スター・ウォーズ エピソード6／ジェダイの帰還』
『ハムレット』
『アバター　伝説の少年アン』
『ドクター・フー』
ほか

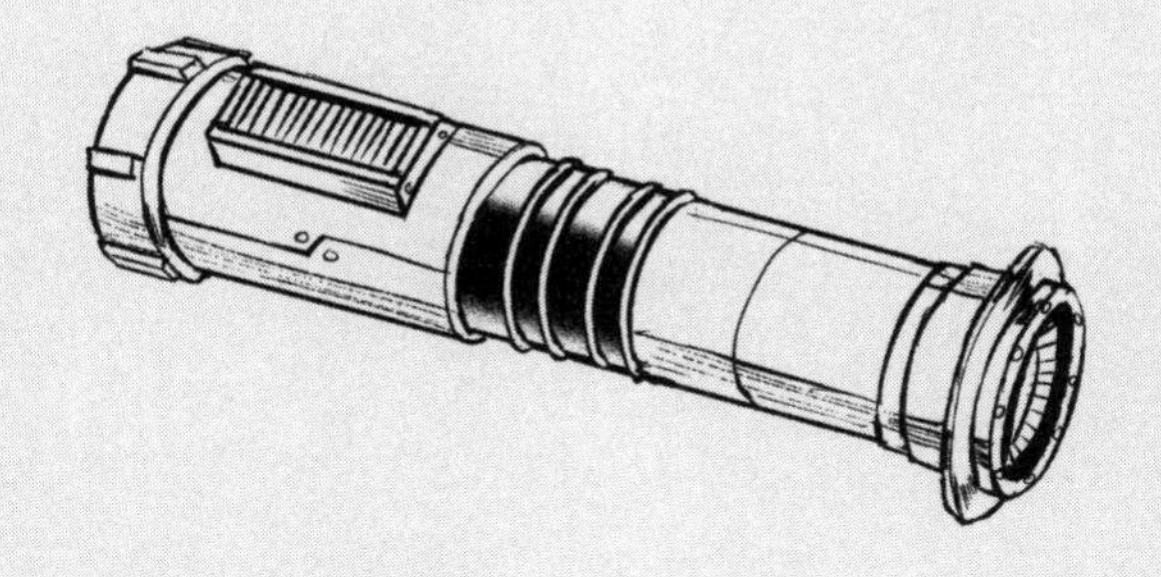

ここで質問です。北欧神話、ＢＢＣ制作による〈ＳＨＥＲＬＯＣＫ／シャーロック〉シリーズ、エドガー・ライト監督の『ホット・ファズ　俺たちスーパーポリスメン！』（二〇〇七）の共通点とはなんでしょう？　ひとつは最終決戦です。ヒーローと悪役を最終的に対決させて、何人かの登場人物を殺し、読者を泣かせる、ストーリーの重要な局面です。最終決戦は、ほとんどすべてのストーリーになんらかの形で登場しますが、この章では、すぐれた最終決戦にするには何が必要か、という問いに取り組んでみましょう。

「最終決戦」ということばから思い浮かべるのは、ピカピカの鎧に身を包んだ善なる軍勢と、お決まりの黒衣をまとった悪党がぶつかり合うイメージかもしれませんが、今回の目的は、それよりもはるかに広い意味での「最終決戦」です。「最終決戦」は、ファンタジーやＳＦが突出していますが、アクション、スリラー、ミステリーなど多くのジャンルに登場します。簡単に言えば、最終決戦はストーリーのクライマックスで起こり、主人公と敵役がなんらかの形で闘い、その結果がストーリーの結末を左右します。これが、わたしたちが扱う定義ですが、ここではＳＦやファンタジーのジャンルにおける「最終決戦」に焦点をあてることにします。それがこの本を読んでいる人たちに最もあてはまると思うからです。

この「最終決戦」を分割して、一次対立と二次対立と呼ぶことにします。それらが何を意味するのか、どのように使い、そしてどのように覆すのかについて説明します。それと、Ｊ・Ｒ・Ｒ・トールキンの『指輪物語』の話もたくさんします。

一次対立と二次対立

このつぎに最終決戦を見たり読んだりする機会があったら、挑戦してもらいたいことがあります。主人公と敵役の対決をひとつの問いで表現するとしたら、それはなんだろう、と考えてみてください。「剣の腕前はどっちが上か?」や、「どっちが速く宇宙船を飛ばせるか?」といった単純なものではないはずです。それはかならずと言っていいほど、物理的な要素だけでなくテーマや感情的な要素を含む、もっと微妙なものです。たとえば、ゴア・ヴァービンスキー監督の『パイレーツ・オブ・カリビアン／ワールド・エンド』（二〇〇七）の最終決戦は、ジャック・スパロウがデイヴィ・ジョーンズに剣で勝てるかどうかを問うものではありません。ジャックが、ウィル・ターナーやエリザベス・スワンとの冒険を経て、フライング・ダッチマン号に乗りこんでデイヴィ・ジョーンズを倒せるほど献身的に変化したかどうかを問うものです。ジョス・ウェドン監督の『アベンジャーズ』（二〇〇二）では、アイアンマンとロキのどちらが強いかではなく、アベンジャーズが全編にわたって鍛えあげたチームワークの力でロキを倒せるだろうかという問いです。結局のところ、友情に勝る力はないことは、だれもが承知しています。

こうした特定可能な問いが、一次対立と二次対立のちがいの核心です。

1. 二次対立とは、通常、主人公と敵役の目に見える対決を指します（「剣の腕前はどっちが上か?」）。
2. 一次対立とは、性質やテーマと密接に関連した内的な戦いのことで、登場人物の内側にある葛藤や変化を含み、最終決戦の結果を左右します。

J・R・R・トールキンの『指輪物語　王の帰還』は、わたしが最も気に入っている例です。ストーリーのクライマックスで、フロド、サム、ゴラムは、一つの指輪を破壊するつもりで滅びの山に到着します。勝利を目前にして、フロドは誘惑に負け、一つの指輪を自分のものにしようとします。ゴラムはフロドに襲いかかり、ふたりは指輪をめぐって格闘します。この格闘は二次的で、物理的な対立です。しかし、最後の戦いの緊張感は、ほぼかならず一次的な対立から生まれます。読者は、フロドが長いあいだそうしてきたように、一つの指輪に抵抗し、指輪を破壊できるほど強くなれるかどうかを疑問に思っています。この問いに対する答えは、ストーリーのテーマとフロドのキャラクターアークに不可欠であり、この一次対立こそが、最終決戦の結末を決定します。ところが、トールキンのストーリーは皮肉たっぷりに展開します。ゴラムもフロドも一つの指輪に抵抗できず、戦いの果てに、指輪は誤って火山の穴に落下し、破壊されます。こうして、サウロンは敗北します。

この例は、主人公が一次対立にも二次対立にも勝つ必要がないことを示すものでもあります。実際、フロドは、一つの指輪に抵抗できず、ゴラムに打ち負かされて指輪を奪われたので、どちらの対立でも敗北しました。あなたのストーリーをこんなふうに終わらせる場合、そうするだけのもっともな理由があるといいでしょう。トールキンは悪の本質についてみずからのビジョンを示すために、このようにストーリーを書きました。これは、だれもが（フロドがこの時点までそうだったように）模範的な人間になれるわけではないと、つまりつねに道徳的な判断をくだせるという考えを否定しているだけでなく、善はつねに勝つ運命にあるという考えも否定するものです。一つの指輪は、フロドとゴラムの両者の心に悪を宿らせ、それがみずからの破滅を招きました。このような顚末にすることで、トールキンは、善はつねに勝つとはかぎらないが、悪はつねに自滅するという皮肉を示しています。

　とはいえ、主人公が一次対立と二次対立の両方に勝利する、あるいは少なくとも一次対立に勝利するほうが一般的です。『王の帰還』の例は、かならずしもそのように設定しなくてもいいこと、そして、どちらかまたはどちらも勝利するか、あるいはどちらとも敗北するには、もっともな理由が必要だということを示したにすぎません。これについてはのちほどくわしく説明します。

『王の帰還』のような物語がうまくいくのには理由があります。最終決戦は、ストーリーのすべての要素の集大成だからです。一次対立と二次対立の両方があることで、クライマックスは登場人物の成長につながります。登場人物の置かれた状態を変えることで、最終決戦に感情的な重みが加わり、世界の状態を変えることで、物語的な重みが加わります。また、クライマックスに見せ場を作るだけでなく、親近感の持てる登場人物の葛藤を通じて、その人物に対する読者の共感を高めることができます。

一次対立と二次対立の使い分け

　最終決戦で登場人物が直面する一次対立は、突然やってくるものではありません。ヒーローがおかしな名誉意識から悪役を殺そうとしないのに、その子分を何百人も虐殺することになんの支障も感じなければ、説得力に欠けるというものです。事前に展開されなかった葛藤に、読者が関心を持ついわれはありません。そのような葛藤は、ストーリーのほかの部分と切り離されているように感じられ、最終的に、登場人物の選択をうつろなものにしてしまいます。

　読者は、登場人物にとって困難で重要な選択を気にかけますが、その重要性は、決断のニュアンスを探るのにあらかじめ費やした時間から生じます。プロット上の出来事は最終決戦につながり、同様に、キャラクターアークは一次対立につながります。たとえば、テリー・プラチェットの『五番目の象』（未訳）では、市警の司令官サム・ヴァイムズが職務上、ある人物を殺さなければならなくなったとき、読者はそれを気にかけます。というのも、なぜサムがそうしたくないのか、その理由があらかじめ探求されているからです。読者は、サムの死生観、極限まで追いこまれつつも殺さなかった限界、そして殺さないでどこまでやれるのか、などを見てきました。この探求が、最後の一次対立に深みと意味を与えています。

ジョン・トゥルービーの『ストーリーの解剖学』には、登場人物をデザインするうえで重要な三つの要素が詳述されています。

a．弱点　これは単に性格的な欠陥です。

b．心理的欲求　これは主人公にのみ影響するもので、よりよい人生を送るために、主人公自身のなかで満たされなければなりません。

c．道徳的欲求　これは主人公のまわりの人々に影響を与えるもので、よりよい人生を送るために、主人公自身のなかで変えなければなりません。

『アバター　伝説の少年アン』の主人公アンの弱点は、問題と向き合うよりも避けようとすることです。そのため、アンの心理的欲求は、過去を克服し、罪悪感を捨て去ることです。これはアン個人にしか影響しないことです。アンの道徳的欲求は、困難に直面したときに受け身でいることをやめることです。なぜなら、受け身でいることが他人を傷つけたり死なせたりすることにつながるからです。

ストーリーのはじまりと最終決戦をつなぐのは、この三つの要素です。これらは多次元的な登場人物を生み出し、そのような登場人物は、物語を通じて変化を必要とします。当然ながら、この三つの要素を一次対立に使うことで、最終決戦が多次元的なものとなり、いっそう興味深くなります。主人公は、作者がストーリーの冒頭で示した葛藤を、結末でついに克服します。トゥルービーはこれを「自己発見の瞬間」と呼んでいます。

心理的自己発見は、主人公がそれまで被ってきた殻をすべて脱ぎ捨て、ずっと隠しながら生きてきた真の自分を「最終決戦のあと」初めて正直に自分自身に直視することだ。この殻を脱ぎ去るという行動は、受動的でも、容易でもあってはならない。むしろ、（中略）そのストーリー全体を通して主人公がとる行動の中で、最も勇気のいる行動でなければならない。

（吉田俊太郎訳、フィルムアート社、二〇一七年、八二頁）

この自己発見は、作者があらかじめ、登場人物にどのような欲求を持たせるかによって決まり、心理的でも道徳的でも、あるいはその両方でもかまいません。

新たな行動を起こす

この自己発見の瞬間を最終決戦に盛りこむ方法のひとつは、読者へ向かって、「いままさに、友情のほんとうの力がわかった！」と登場人物に言わせるのではなく、それまでできなかった行動を新たに起こさせることです。シェイクスピアの『ハムレット』では、ハムレットが自己発見の瞬間にはじめて、ストーリーの大部分でみずからの自由を奪ってきた憂鬱と優柔不断を克服します。これはハムレットの心理的な欲求であり、そしておそらく道徳的な欲求でもあります。ハムレットの優柔不断ぶりは、自分自身と周囲の人々を傷つけます。それを克服することで、ハムレットはついに、それまでその気になれなかった、父親を殺した男に立ち向かうことができるのです。

新たな行動を起こす自己発見の瞬間を、緊張感が高まっていないときにもたらしても、登場人物は危機的状況に陥っていないので、あまり意味がありません。緊張感が高まっているときにもたらせば、その人物にとって失うものや得るものが大きいため、登場人物の変化がより説得力のあるものに感じられます。当然ながら、最終決戦はストーリーのなかで最も緊張感の高まる場面なので、そこへこの瞬間を置けば、効果は抜群です。

一次対立と二次対立の両方に勝利するか

主人公が一次対立と二次対立の両方で成功するのはよくあることですが、かならずしもそうなる必要はなく、このパターンを覆すことで、実におもしろい瞬間が生まれることがあります。

ジョージ・ルーカスの『スター・ウォーズ エピソード6／ジェダイの帰還』（一九八三）におけるルークとダース・ベイダーのライトセーバーの決闘は、この三部作がそれまで導いてきた集大成だと観客は信じさせられます。ヒーローと敵役が繰り広げるこの決闘は二次対立ですが、ルークがベイダーを瀕死の状態へ追いこんだときに、この見せ場の意味が根底からひっくり返ります。ルークは、結局は皇帝の手によって倒されます。[*1] 突然、ルークがすぐれた剣の使い手であるという事実は問題ではなくなります。ここではじめて、真の一次対立が生じます。つまり、ベイダーは皇帝を選ぶのか、それとも家族を選ぶのか。最終決戦の結果を決定するのは、この葛藤であり、観客が信じさせられていたライトセーバーの決闘ではありません。ベイダーが皇帝に逆らったときに、ライトセーバーさえ使わなかったという事実は、だれのなかにも善は存在し、家族や忠誠心は暴力以上に世界を変えることができるという重要なテーマを強調しています。〈スター・ウォーズ〉は結局のところ、家族愛のストーリーなのです。

一次対立あるいは二次対立のいずれかに敗北するか

ファンタジーやSFには、ひとりの主人公が敵役を打ち倒すことに大きな責任を負うという特殊なパターンに頼る傾向があり、これには本質的になんの問題もありません。しかし、その中心人物ばかりに焦点をあてると、補佐的な役まわりの登場人物の価値が損なわれたり、最終決戦で出番が少ないように感じられたりすることがあります。ひとりに焦点をあてたストーリーはうまくいくし、実際にうまくいった例は数多くありますが、このパターンにはまらない最終決戦を書くつもりであれば、主人公が最終決戦で二次対立に敗北するように仕向けるのもひとつの方法です。これはよく、悪名高い「贖罪イコール死」という形となって現れます。主人公は一次対立に勝利しますが、それはみずからを犠牲にすることで達成されます。このようにすることで、ヒーローが敗北するのを目の当たりにした読者に、予想外の緊張感と危機の瞬間をもたらし、敵役を打倒するために、その他のヒーローを巻きこみやすくなります。二次対立に敗れたヒーローは、自分ではどうすることもできず、仲間の助けが必要になるからです。

対照的に、二次対立で成功させ、その代価として一次対立で敗北させれば、悪に寝返らせたり、忠誠心を入れ替えさせたりする場合に効果的です。そのすばらしい例として、『アバター　伝説の少年アン』第二シーズンの終盤のズーコを取りあげます。だれに忠誠を誓うべきかという内的葛藤で満たされたズーコは、妹のアズーラに加勢して主人公たちを攻撃し、バーシンセーを征服しようとするアズーラを助けることを決意します。ズーコは、アン、カタラ、サカ、トフとの二次対立に勝利して火の国へ帰ります。ところが、その代償として一次対立に敗北します。つまり、ズーコは怒りにまかせ、自分のことを心から気にかけてくれる伯父を裏切ってしまいます。

この設定は、登場人物の欠点に現実的な結果を与え、そのことにより視聴者はその人物を以前とは根本的に異なる環境で見ることができるようになります。これは、単に弱みに関連づけて、その結果を深く追求しないでいるよりも、はるかに興味深いものになります。

この設定は、クライマックスの最終決戦ではあまり使われません。ヒーローが最後の最後に、「実のところ、悪っていうのもなかなかいいもんだ」と言って締めくくったら、多くの読者はさぞかしがっかりするでしょう。そのため、主人公が最悪の自分に完全に屈服する瞬間は、ストーリーの第二幕に置かれることが多く、そうすることで作者は、主人公に贖罪のアークを描く余地をじゅうぶんに与えることができます。

これについての例外は、堕落したヒーローについてのストーリーです。マリオ・プーヅォの『ゴッドファーザー』は、最終決戦で敵を完膚なきまでに打ち負かす男、マイケル・コルレオーネのストーリーですが、その代価として、マイケルはかつて憎んでいた対象そのものとなります。マイケルは二次対立には勝利するものの、一次対立に敗北し、堕落したヒーローになります。

最終決戦

最終決戦は、文字どおり最終であるべきですよね？　ところが、一部の作者にとってはそうではありません。最後の戦いでヒーローが悪役を倒して窮地を脱したものの、家へ帰りつくと、自分のことや愛する人々を傷つけようと、悪役が最後の抵抗をしている、という逆転劇はよくあります。トールキンの『王の帰還』では、滅びの山で一つの指輪を破壊し、サウロンを倒しても、実はストーリーはそこで終わりません。それは「最終決戦」だったかもしれませんが、フロドたちが故郷へもどると、のちに「ホビット庄の掃討」と呼ばれる戦いで、サルマンがホビット庄を乗っとり、破壊のかぎりを尽くしていました。[*2] フロドたちの故郷は、そして彼らがずっと守ろうとして戦ってきたものは、完全に崩壊し、破壊されました。フロドは、サルマンとふたたび戦うためにホビットたちを集めなければなりません。

敵役の壮大な目的は阻止されましたが、この最後の抵抗は、もっと個人的にヒーローを傷つけようとする傾向があります。サルマンはホビットの故郷へ行き、ブラッド・バード監督の『Mr.インクレディブル』(二〇〇四)では、シンドロームがパー家に現れ、幼児のジャック＝ジャックを誘拐すると脅迫します。ファミリー向けの映画では、これは人を物理的に痛めつけるのと同じくらい深く傷つける行為です。そのため、この「最後の抵抗」は、作者にとって、主人公たちをさらに弱い立場へ追いこみ、真の利害関係を明らかにする、強力な切り札になります。通常、悪役は主人公を傷つけようとする最後の試みに失敗しますが、成功するまれなストーリーでは、まさに痛烈な幕切れ、つまり、最終決戦に勝利したにもかかわらず、最もたいせつなものを守れなかったという結末をもたらします。それはテーマとして力強いものであり、リアリズムの痛ましい表明でもあります。

そのなんとも奇妙に感慨深い例が、第6章で取りあげた『ドクター・フー』のエピソード「タイムロードの最期」です。正確な筋書は第6章を参照してもらうとして、このエピソードでは、ドクターはマスターを倒して捕虜にするつもりです。長いこと自分はタイムロードの最後の生き残りだと信じていたドクターですが、マスターを発見したので、もう孤独ではありません。ところが、最終決戦が終わったあと、マスターは銃弾に倒れます。ドクターやマスターのようなタイムロードは再生することが可能ですが、積年の敵を困らすための最後の手段として、マスターは再生を拒み、死を選びます。ドクターは、自分は孤独ではなかったという考えに必死にしがみつき、マスターは、その思いをみずからの死によって奪うことができる宇宙で唯一の人物でした。要するに、このふたりのシーンこそがまさに最後の抵抗のシーンです。このシーンのユニークな点は、ドクターが最も弱い立場にあるときに、マスターが他人を殺すのではなく、自分自身を殺すという、最も個人的な方法でドクターを傷つけたことです。

まとめ

1. 最終決戦に一次対立と二次対立を加えることで、ストーリーのクライマックスを多面的なものにすることができます。
2. 一次対立が最も効果的なのは、ストーリー全体を通してあらかじめ探求されてきた道徳的欲求と心理的欲求から生じる場合です。
3. 自己発見は、登場人物がそれまでできなかった行動を新たに起こすことで明らかになります。しかし、登場人物が一次対立か二次対立のどちらか、あるいは両方で敗れるのも妙案です。
4. ありふれた最終決戦を覆して、興味を引く、あるいはユニークなストーリーにする方法はいくらでもあります。これらを使うかどうかは、あなたが書きたいストーリーの種類によります。

注

＊1 ルークはまた、ダークサイドに屈することにも、ダース・ベイダーを殺すことにも抵抗するという一次対立をかかえています。ルークはこの対立を克服しますが、それが皇帝の反感を買うことになります。ある意味、これが最終決戦の運命を決定づけたとも言えます。もしルークが屈していれば、ダース・ベイダーはその時点で、さらに深刻な呼吸障害をかかえた煙の出る電子機器の山になって——つまり、息の根を止められて——いたでしょう。

＊2 ホビット庄の掃討は何を表しているのでしょう。トールキンは寓話を蔑んでいましたが、トールキンの本にテーマ的な意味がまったくないと考えてはいけません。読者のなかには、この掃討をホビットたちの最後の試練とみなす人もいます。しかし、わたしはもっと破壊的な解

釈のほうが好みです。シャイア庄は理想郷そのものであり、まったくの手つかずで、だれも知らない場所でした。サルマンが悪の手先を送りこみ、その地を堕落させ、戦場へと変えたのは、そのような理想郷をトールキンが拒絶したと考えるほうが、格段に興味深い解釈になります。トールキンが第一次世界大戦で戦ったように、戦争で戦う者にとって、その痛みは故郷へもどってきます。その恐怖と戦慄は、わたしたちの奥深く秘めた感情を腐敗させます。最終決戦のあと、わたしたちは平穏な日々にもどるかもしれませんが、「めでたしめでたし」では終わりません。トラウマはわたしたちの最も奥深いところにふれるものであり、戦争が終わってもそこから立ち去ることはできません。

第8章

選ばれし者

本章で扱う作品

『スーパーナチュラル』
『マクベス』
〈氷と炎の歌〉シリーズ
『マトリックス　リローデッド』
『七つの大罪』
ほか

魔法の剣、死んだ両親、酷評される映画化と並んで、「選ばれし者」は、ファンタジーとSFジャンルでありがちなストーリーテリングのパターンです。これはまた、作家がその手法を使うべきかどうかについて、人々が強い感情を持っていることも意味します。つぎのようなトークは珍しくありません。

作家A「あのさ、つぎに書く題材を考えているんだけど、選ばれし――」
その他全員「だめだめ、いけませんよ。出直してらっしゃい」

しかし、選ばれし者という存在がいるだけで文章に悪影響を与える場合と、単に使い古されているとか、想像力に欠けるとかいった場合とでは、天と地ほどの差があります。多くの作家（あるいは執筆に関するアドバイスをする人たち）は前者にとらわれがちですが、わたしが思うに、そちらに分類されるケースはほとんどありません。選ばれし者という概念について考えるときは、つぎのようなものが含まれることに注意しましょう。

a．予言によって選ばれし者
b．説明のつかない「運命」によって選ばれし者
c．魔法の道具によって選ばれし者

d. 特定の目的のために人々によって選ばれし者

この章では、選ばれし者がうまくいく理由と、うまくいかない理由について説明します。しかし、これらは多くの作家にとって直感的に理解していることが大半なので、作家が思いつかないような、あまり一般的ではない事柄を取りあげます。脇役、運命のクエスト、登場人物の成長、物語の構成という四つのパートに分けて説明します。

脇役

ストーリーに選ばれし者を登場させる効果のうち、過小評価されていることのひとつに、脇役の位置づけに及ぼす影響というものがあります。選ばれし者は、当然ながら物語の緊張感の中心点を作り出します。闇の帝王を倒したり、力の矛を振りかざしたり、王位を継承したりする唯一の人物で、ストーリーの方向性や邪魔者を決定します。問題は、その緊張のポイントがたいていの場合、選ばれし者ただひとりに集中していることです。

この設定でうまくいったストーリーは無数にありますが、読者にとっては、お気に入りの脇役が選ばれし者のバックダンサーに成りさがったように感じる場合があります。やはり、ストーリーの緊張の中心点を解決できるのが、世界で選ばれし者ただひとりであれば、クライマックスにおける脇役の位置づけは心もとないものになります。

選ばれし者が関与するストーリーの場合、脇役は、ごくメタ的な意味において主体性を持たないことが多いため、孤立しているように感じられることがあります。簡単に言えば、作者が気をつけていないと、こうした登場人物がいようがいまいが関係なくなります。究極的には、選ばれし者でなければ、ほんとうに重要な役割を果たすことができないからです。これは主に、ストーリーのドラマチックな筋が、選ばれし者の運命を軸に作られていることが要因です。

選ばれし者のストーリーで、脇役を使ってどのように緊張感を築いていくのか？　これは、あなたが作家としてみずからに問うべきことです。

個々のドラマチックな筋

この問いに取り組む最善の方法のひとつは、脇役に独自のドラマチックな筋を与え、それが選ばれし者のドラマと並行して展開していくようにすることです。その一例が、石田勝也が脚本を手がけた『B: The Beginning』です。主人公の黒羽は選ばれし者であり、クライマックスでは自分自身の一次対立と二次対立に直面しますが、脇役のキース・フリックには、黒羽の運命とは完全に独立したフリック自身のドラマチックな筋があります（作られたものではありますが）。

おそらくいちばんいい例は、『アバター　伝説の少年アン』でしょう。アバターは、この物語において究極の敵役である火の王オザイを倒せる唯一の人物であり、選ばれし者です。しかし、クライマックスはこのふたりの戦いを中心に展開するだけではありません。このストーリーに登場する脇役――ズーコ、カタラ、スキ、トフ、サカ――は、アバターと火の王の戦いを導く運命の力とはまったく別に、それぞれ一次対立と二次対立をかかえています。ズーコは、兄妹間の痛烈なライバル関係と、キャラクターアークが絶頂に達したときに、カタラとともに妹のアズーラ王女と対決することで自分自身を証明します。同時に、トフ、スキ、サカの三人は飛行艦隊での戦いに挑みます。そこではスキとサカの互いへの愛情が試され、トフは友人を全面的に信頼しないといけない局面が訪れます。友人を心から信頼することは、これまでトフができずにいたことです。さらに重要なのは、脚本家たちがアバターと火の王のために費やした時間よりも、ズーコとアズーラのあいだの緊張感を高めるために費やした時間のほうがはるかに長いということです。そのため、ストーリーのクライマックスにおいて、より緊張感があり、感情をかき立てられ、複数の主題が入り混じっていると感じられたのは、実は選ばれし者とまったく関係のない火の国の宮殿での戦いでした。

物語の序盤で、選ばれし者の「選ばれし性質」から生じない、脇役を中心とした別の対立を作り出すことで、脇役にクライマックスで不可欠な役割を与えるだけでなく、物語全体を通してすべての登場人物の主体性を維持することができます。

これらの筋は、選ばれし者と関連することはあっても、その存在意義と解決においては、選ばれし者に依存すべきではありません。キース・フリックは、黒羽のストーリーが展開するかどうかに関係なく、妹を殺した犯人を追い、突き止めたでしょう。物語にこのような代替の設定があることで、読者はこれらの脇役がいなければ、物語は完結しないと感じるはずです。というのも、たとえ選ばれし者が運命をまっとうしても、ストーリーを通して築かれてきた緊張感の大部分が、まだ満足のいくように解決されていないからです。アンが火の王を倒しても、満足できる終わりを迎えるためには、視聴者はズーコとアズーラのあいだの緊張関係の解決を見届ける必要があるのです。

多くの選ばれし者たち

作家のなかには、ひとりではなく多くの選ばれし者を登場させるというアイデアを考え出した人もいます。リック・リオーダンの〈オリンポスの神々と7人の英雄〉シリーズでは、主要登場人物がそれぞれ、壮大な同じ予言のなかで役割を担います。つまり、どの人物も緊張感の解決に必要な役割を果たす運命にあるのですが、この予言に関わらない脇役の問題は解決しません。予言される人数が多いという事実が、そもそも予言されることの特別さを奪ってしまうこともあります。そのうえ、〈オリンポスの神々と7人の英雄〉シリーズでは、リオーダンの多人数が関わる予言が果たしてストーリーに悪影響を及ぼしたかどうかは不明です。物事がうまくいかなかったり、登場人物が殺されたりするかもしれないという危機感や可能性を高めることで、この作品をもっといいものにできたかもしれません。予言があることで、ストーリーの未来の曖昧さが、ある程度失われるからです。別の手段として、旧約聖書を参考にして、選ばれし民を題材に書くこともできますし、ウィリアム・ニコルソンの〈炎の風〉シリーズ（未訳）のように、選ばれし民のなかに選ばれし者を登場させることもできます。

運命のクエスト

運命や宿命の力は、うまく使えば登場人物に興味深い試練を与えることができます。むずかしいのは、それをうまくやることです。一九五〇年代にモダンファンタジーというジャンルが誕生して以来、選ばれし者のストーリーは、何をすると予言されていようと、それは運命なのだから、いいことにちがいないとみなす傾向がありました。たとえその運命が完全に予測できるものでなくても、あるいは、それを果たすためにだれかが死ぬだろうと予言されていても、選ばれし者のストーリーの登場人物は、予言を果たすことは当然いいことだと認めているふしがあります（ただし悪者を除きます。悪者はたいてい死んでしまうので）。

この種の予言設定は本質的に悪いものではありませんが、かならずしも物語に価値が加わるとはかぎらないため、批判されることもあります。それどころか、ヒーローが勝利しても、戦って手に入れたのではなく、選ばれし者だから勝ったのだと読者は感じるようになり、ドラマチックな緊張感を損ないかねません。あるいは、ストーリーが道徳的に単純になるという、意図せざる効果をもたらすおそれもあります。ある人物が選ばれし者であり、運命が告げているからというだけで、一方の結果は善で、もう一方の結果は悪でなければならないといった設定は、読者の目には陳腐で意外性に欠けるように映ることも考えられます。それでは、このような設定から、あなたが書く選ばれし者のストーリーを区別する方法をふたつ説明します。ひとつは、選ばれし者が積極的に止めたいと願う予言にすること、もうひとつは、道徳的にどっちつかずな運命にすることです。

運命の実現を止めたいと積極的に願う

これは、人類が必然を食い止めようとするのと同じくらい、むかしからあるパターンです。ソポクレスの『オイディプス王』のような有名なストーリーにも登場します。このパターンのすばらしい例のひとつが、『スーパーナチュラル』です（わたしはこの作品を「愛はすべてを征服するし、おれたちはゲイじゃない」と呼んだりします）。ふたりの主人公、ディーンとサムのウィンチェスター兄弟は、黙示録をもたらすように運命づけられた選ばれし者であることが判明します。さらに悪いことに、ふたりのうちひとりはルシファーの霊を宿す「悪役」に、もうひとりは大天使ミカエルの霊を宿す「ヒーロー」になる定めです。兄弟は互いに殺し合わないといけません。もちろん、生きて人生を謳歌したいので、ふたりともこれを望んでいません。クライマックスのエピソードに至るまで、サムとディーンは、もし運命というものがあるのなら、自分たちがこれまで決めてきたことに、いっさいの意味はないという考えにいかに苦しめられてきたかを積極的に語ります。ふたりが運命の実現を半分だけ止めることができたとき、この選ばれし者のストーリーは、胸が張り裂けそうな、しかしとても美しいフィナーレを迎えます。

選ばれし者にみずからの運命を積極的に逆らわせることで、緊張感の中心点を複雑にできます。それによってストーリーに厚みが加わり、自由意志という興味深いテーマの探求が容易になります。さらに、運命という逆らえないものと戦わせることで、ドラマチックな緊張感を弱めるどころか高めることができます。運命に抗うことに成功すれば達成感が高まり、運命に従わざるをえなければ感情的なインパクトの重みが増します。

このパターンはときおり、「逆らえない運命」のストーリーラインとして現れることがあります。その場合、登場人物や読者が予期していない方法で運命を実現させる手法が一般的です。シェイクスピアの『マクベス』にこんな予言があります。

マクベスは決して負けぬ、バーナムの森がダンシネインの丘へ攻め寄せてくる迄は。

（木下順二訳、岩波書店、一九九七、九五頁）

マクベスは自分が無敵だと思いこんでいましたが、シェイクスピアは、イングランド軍に切り落とした枝を使わせ、森が動いているかのように見せました。マクベスは気づいていませんが、逆らえない運命として展開されます。このパターンは現代のストーリーにも浸透していて、ジョージ・R・R・マーティンの〈氷と炎の歌〉シリーズに登場するサーセイ・ラニスターがその例です。サーセイは、自分の子供たちが自分より先に死に、自分はもっと美しい者に追い越され、兄の手にかかって死ぬという予言に抗うために、すさまじいほどの努力をします。皮肉なことに、サーセイはこの運命に逆らおうとして、間接的にこれらの多くのことをもたらす災難を引き起こします。

ひねりのある予言のパターンは、しばしば「逆らえない運命」のストーリーラインと組み合わされ、たいていは予言によって選ばれた者に影響を与えます。このパターンは、それが実際どのように展開するのか読者はわからないので、物語に謎めいた要素を加えることができます。ただ、前に述べた理由により、物語が道徳的に単純になりがちで、主人公の達成感も自力で勝ちとった感じがあまりしないので、ドラマチックな緊張感が損なわれ、陳腐に感じられることがあります。突出したストーリーを書きたいのであれば、つぎのような問いを検討するほうがいいでしょう。

1. 運命に抗うことで何が起こるのか？
2. 選ばれし者になることで、人生はどう変わるのか？
3. 運命がみずから意思を持っているとしたら、何が起こるのか？（予言が変わる？　抵抗されたら、新たな選ばれし者を選ぶ？）
4. 運命や宿命の力は本来、登場人物や世界の利益をあと押しするものか？（運命が積極的に主人公たちに不利に働くストーリーは魅力的かもしれません）

選ばれし者としての敵役

敵役が選ばれし者であるケースは珍しいですが、前代未聞というわけでもありません。主人公たちは敵役を倒すために苦境に立たされることになります。というのも、運命をコントロールしたり逆らったりすることはできないからです。この一例が、コンピュータゲームの『スパイロの伝説　ドラゴンの夜明け』です。敵役のマレフォーは、世界を救うためではなく、世界を作り変えるために運命づけられた選ばれし者です。予言は、世界を再構築することが何を意味するのかについては道徳的に中立で、マレフォーはそれが世界を破壊するという意味だと信じ、実際に短期間ながらも成功しました（主人公のスパイロもまた、選ばれし紫色のドラゴンだったことが、その助けになったのでしょう）。

道徳的に曖昧な運命

選ばれし者の物語をより興味深いものにするふたつ目の方法は、本質的に善でも悪でもない運命にすることです。すべての予言が世界を救うことに関係しているわけではありません。そのようにすることで、選ばれし者についてのさまざまな視点を登場人物に与えることができます。単に、運命を阻止できるかまっとうできるかを問うのではなく、運命をまっとうするべきかどうかという意味深な問いを検討することで、緊張感を引き出すことができます。

a．運命をまっとうすることよりも差し迫った懸念があるか？
b．運命をまっとうするのに必要な方法は、道徳的に正当化されるか？
c．運命に抗うのに必要な方法は、道徳的に正当化されるか？

このアイデアが完全に生かされたストーリーは見たことがありません。前述したように、『スパイロの伝説 ドラゴンの夜明け』における「運命」とは、「大いなる浄化をもたらすこと」でした。敵役はこの意味を、世界を破壊することだと信じていましたが、世界をよりよい方向に作り変えることだと解釈することもできます。

より多くのニュアンスを含んだ例が、ジョージ・R・R・マーティンの〈氷と炎の歌〉シリーズです。ストーリーのなかで予言はいくつもあり、すべて異なる目的のために与えられ、人によって異なる意味に解釈されます。サーセイはアゾル・アハイの予言を神話として否定し、目前にもっと差し迫った問題があると考えます。ダヴォスとメリサンドルは、予言を成就させる方法が正当か道徳的かをめぐって衝突します。レイガーは、予言を成就させるには、いまの妻を裏切り、新たにある女性を妻として迎えるか誘拐するかして、大陸を内戦に陥れなければならないと考えたのかもしれません。この点から見ると、レイガーを英雄とみなす人もいれば、ひとりよがりの誇大妄想家とみなす人もいます。マーティンが書くストーリーは予測可能なものではなく、ドラマチックな運命の筋に関しても、読者の緊張感が失われることはありません。というのも、選ばれし者が運命をまっとうするだろうかという問いは、ストーリーに関わる「選ばれし者」を軸にした、多くのドラマチックな要素のひとつにすぎないからです。むしろ、さほど重要ではない問いのひとつだと言えるでしょう。

ウォシャウスキー姉妹が監督・脚本を務めた『マトリックス　リローデッド』（二〇〇三）――たしかにひどい映画だとは思ってはいますが、時間をかけてその内容に耳を傾ければ、興味深いテーマの概念を扱っています――は、選ばれし者という図式を興味深い方法で覆しています。アーキテクト〔マトリックス設計者〕と話したとき、ネオは過去にも多くの選ばれし者がいたこと、そして自分の運命は人類を救うことだが、それにはかならず、愛する人々をみな殺しにし、人類最後の都市ザイオンを破壊するという代償がともなうことを知ります。この運命をまっとうすることの意義について、ほかの登場人物ばかりか、選ばれし者も異を唱えます。すなわち、ネオはその運命をまっとうしないことを選択します。

道徳的に曖昧な運命を選ばれし者へ与えることで、ヒーローたちが運命を阻止あるいはまっとうできるのかという単純な疑問から、緊張感の中心点を取り除くことができます。読者は、いずれにせよヒーローが運命をどうにかすることを知っています。むしろ、緊張感の中心点は、予言というアイデアそのものをめぐる哲学的な対立や登場人物同士の対立から生じるので、登場人物を主体にした、魅力的な選ばれし者のストーリーを作ることができます。また、このパターンを道徳的にどっちつかずな物語に組みこむことで、多くのファンタジーストーリーが陥りがちな、完全な善と完全な悪という二元的な描写を回避できます。

登場人物の成長と物語の構成

選ばれし者を登場させることで、登場人物の動機や、読者の共感を引き出す力を損なうというリスクもあります。これは、運命を司る大魔王が選ばれし者を選び出すとき、市井の出来事をかならずしも気にかけていないことが原因です。そのため、つぎのような場合、説得力に欠けたストーリーだと思われる可能性があります。

a．両親を亡くした謎めいた農家の少年が、ただひとり闇の帝王を止める力を持っている唯一の理由は、その少年が選ばれし者だからだ。

b．主人公が冒険をはじめる唯一の理由は、その人物が選ばれし者であり、冒険へ出なければならないと告げられたからだ。

このような手法の問題点は、主人公の役まわりをただの任務にしてしまうことです。読者は、主人公の行動や動機が一個人のものとは無関係で、すべては運命を司る大魔王の決定によるものと感じてしまいかねません。また、敵役や脇役との関係が、個人としての主人公とほぼかかわりなく、すべて選ばれし者であることに関係していたり、物語やキャラクターウェブにおいて、主人公の位置づけを決定するような特徴が何もなかったりする場合も同様です。ストーリーを書くときは、主人公が特定の登場人物とどのようなつながりを持つのか、なぜ特定の力関係が形成されるのかを注意深く考えてみましょう。その関係は選ばれし者だからなのか、それとも一個人だからなのでしょうか。

ロバート・ジョーダンの〈時の車輪〉シリーズは、ファンタジーというジャンルを定義づけるのに貢献した、美しい描写が特徴の作品です。主人公のランド・アル＝ソアは、選ばれし者としてストーリーのなかで大きな役割を与えられています。闇王は冒頭でランドを標的にします。なぜなら、闇王との関係も、その他おおぜいの脇役との絆も、選ばれし者という役まわりから生じるものだからです（ただし、シリーズが進むにつれて、その傾向は弱まると言っておきます）。人は、動機もなく行動は起こさないので、この設定はランドを読者にとって共感できない存在にしてしまいます。わたしたちは、愛、欲望、貪欲、憎悪、復讐、好奇心といった主要な力に突き動かされます。登場人物がたどる旅がなじみのある要素で動機づけられていなかったり、一個人としての進歩のようすが理解しがたかったりすれば、読者は共感できません。わたしたちは、選ばれし者ではないので。

あるいは、あなたはそうなのかもしれませんね。だとしても、運命を司る大魔王のお告げを待つことはおすすめしません。

そのため、選ばれし者には、キャラクターアークと、選ばれし者であることとは無関係な動機を与えることが重要です。それは、愛する人を守るという単純なものもあれば、さらに複雑なものもあります。これについてのすばらしい例が、テリー・プラチェットの『ディスクワールド騒動記1』にあります。主人公のリンスウインドは、宇宙最強の呪文のひとつが、邪悪なトライモンの手に落ちるのを防ぐために故郷を去るのではありません。リンスウインドは、臆病者で、「見えざる大学」でも通用しないような、ほんとうにダメな魔法使いだから逃げ出すのです。ツーフラワーとの関係の進展も選ばれし者であることとは無関係です。ふたりの仲は、リンスウインドが出来心から、裕福な観光客のツーフラワーをカモにしたことからはじまり、お互いを支え合う深い友情へと発展していきます。読者はこれに共感することができます。

もうひとつの好例は、スーザン・コリンズの〈ハンガー・ゲーム〉シリーズの主人公カットニスです。カットニスは、運命や魔法や宿命の力が関与していないという意味においては、従来の選ばれし者ではありませんが、キャピトルに対する反乱を率いる「選ばれし者」です。カットニスは、人間が作り出した「選ばれし者」であり、その役割が反乱を象徴すると人々は信じこんでいます。しかし、カットニスがストーリーのなかで行動するのは、自分が選ばれし者だと信じているからではなく、戦争から逃れたい、スノー大統領に復讐したいという単純な理由によるものです。読者はこれに共感することができます。カットニスのキャラクターアークは、実際には選ばれし者の役割へと成長することはなく、その点において破壊的です。反乱軍と身近な人々のために、カットニスは自分ではないだれかのふりをします。

選ばれし者であることとはまったく無関係な動機の要素が複数あると、選ばれし者の義務を果たす動機と個人的な動機が対立するような、興味深い葛藤を作り出すことができます。

登場人物の成長を考える場合、物語の構造を考えることは重要で、それが選ばれし者の場合であればなおさらです。ストーリーの第一幕は、作者が登場人物の最も重要な欲求や人間関係、成長のポイントを読者に示す場所です。つまり、設定が最も重要になるのが第一幕なのです。計画外の続編で、登場人物の対立が調和を欠いているように感じるのは、作者が第一幕で重要な葛藤を示さないのが理由です。選ばれし者のストーリーでは、登場人物の動機や選択が、宇宙の気まぐれな決定によって弱められたり、最悪の場合、代わりに決定されていたりするような印象を受けることがあります。選ばれし者であることとは別に、その人物を一個人として確立することが重要であり、それは第一幕でおこなう必要があります。『ディスクワールド騒動記1』のリンスウインドをふたたび例として取りあげましょう。この選ばれし者は、臆病で、自分の能力を信じることも努力する気もなく、自分は何ひとつ成しえないと信じている登場人物として、第一章から確立されています。

彼に注目してみよう。多くの魔術師と同様、リンスウインドは痩せており、着ている暗紅色のローブには、謎めいた印が色あせたスパンコールで縫いつけてあった。人によってはかれのことを、師匠のもとから反抗心、退屈、恐怖、異性愛への捨てがたい気持ち、などなどで逃げ出してきたほんの見習い魔法使いと思う者もいたかも知れない。だがその首にぶら下がる青銅の八角形のペンダントは、かれが魔法の高等教育機関である〈見えざる大学〉の卒業生であることを示していた。この大学は時空を超越してしまっているため、キャンパスは正確にここともあそこ(ここ、あそこに傍点)とも言えないのだった。たいていの卒業生は、少なくとも正式の魔術師になるはずなのだが、リンスウインドは――とある不運な出来事のせいで――呪文は一つしか知らないままで大学を出てしまった。そこでかれは、言語に対する天賦の才を生かして、どうにか街で生計を立てている。もっとも仕事は原則として避けていたが、頭の回転が早いので、知人たちには頭のいい齧歯類のような印象を与えていた。

(安田均訳、角川書店、一九九一、三一－三二頁)

作者は選ばれし者について、「なぜそのような行動をとるのか?」、「なぜその他の登場人物と特定の関係を持っているのか?」といった問いに答える必要があります。選ばれし者は、第一に人間であり、運命が産み落とした幼子であることは二の次です。

同じように、選ばれし者のキャラクターアークが、宇宙的な運命の力に従って生きることに終始している場合、読者が共感するのはむずかしいかもしれません。DCの『アクアマン』(二〇一八)や、マーベルの『マイティ・

ソー』（二〇一一）、および事実上あらゆるアーサー王のストーリーがこれに該当します。それよりも、選ばれし者であることに依存しない葛藤やキャラクターアークを設定したほうが、いっそう興味深くなります。特によく見られるのは、ストーリーが運命プロットをサブプロットとして扱い、選ばれし者であることから生じる葛藤を強調しながら、ふつうの生活を維持しようとする方法です。その例が、『アメリカン・ドラゴン』のジェイク・ロンです。このシリーズのほとんどのドラマは、ジェイクが学校で起こるさまざまな出来事に直面したり、ガールフレンドを追いかけたり、母親を喜ばせようとしたりするふつうの子供であろうとすることから生まれました。ジェイクは選ばれし者でありますが、登場人物としての成長の大部分は、成熟し、衝動的で傲慢でなくなることにあります。選ばれし者であることに依存しない葛藤を与えることで、読者は人間味を感じることができます。しかし、これまでと同様に、読者がつながりを感じるような対立のポイントを第一幕で設定する必要があります。そうすることで、アークを発展させる時間が増えるだけでなく、乗り越えられるかどうか先の読めないドラマチックな筋をすばやく設定して、読者の共感を引き出すことができます。

特別な力

人目を引くカッコいい能力がなければ、ほんとうの選ばれし者とは言えません。選ばれし者を書くことのむずかしさのひとつは、選ばれし者が強力な能力を身につけたのは、そのために努力したからではなく、宇宙の大魔王がその力を持つべきだと決めたからだとしたら、説得力に欠けると思われてしまうことです。

これをみごとに覆した例として、ベセスダ・ソフトワークスが開発したゲーム『エルダー・スクロールズIII モロウウィンド』を紹介します。このストーリーでは、プレイヤー・キャラクターは自分が選ばれた人間であると信じこまされますが、自分の持つ能力を証明し、使いこなすための試練は、理論的にはだれでも成しとげられるものであり、自分より以前の人たちではなく、自分こそが選ばれし者だと断言できるような魔法の戴冠式はありません。その代わり、試練はとてつもなくむずかしく、たまたまあなたがそれを成しとげる最初の人物だっただけなのです。ストーリーが終わるころには、プレイヤー・キャラクターが特別だということと、その特別な力のために取り組むこととのあいだに意味のある区別はないことに気づくでしょう。根本的には、たとえその人物が選ばれし者であっても、リーダーシップや魔法使いの力、暗殺者のスキルのために取り組んだと読者が感じられるようにすることが重要です。

ただし、これにはひとつだけ例外があります。それは、物語の緊張感が、その能力とはまったく無関係なものから派生している場合です。たとえば、鈴木央の『七つの大罪』では、主人公のメリオダスはどんな攻撃にも対抗し、敵に反撃する能力を持つため、事実上無敵です。同時に、メリオダスが感情のコントロールを失うと、破壊力満点の力が放たれます。そのため、メリオダスのストーリーで生じる緊張感の多くは、メリオダスが怒りを制御することを学び、破壊をもたらさない新たな動機を見つけることからはじまります。このケースのような、圧倒的な力を持つ選ばれし者を主人公とする場合、その力を得るために努力したことを示しても、あまり意味がありません。ストーリーの緊張感は、単に敵役を倒す力があるかどうかではなく、黙示録を引き起こすことなく敵を倒す力が、精神的にまたは個人的にあるかどうかから生まれます。そのほかの例としてよく見られるのは、主人公が敵役を殺すまたは拷問する力があることが明白だとしても、実際にそうするだろうかという道徳的な問いがあります。

最も重要なのは、段取りとヤマ場です。

a．選ばれし者が運命をまっとうするためには、何を習得する必要があるか考えます。

b．それが才能である場合、習得するために努力している姿を見せるほうが満足度は高くなります。
c．それが精神力あるいは個人的な力量である場合、その力を実際に使っている姿を見せるほうが満足度は高くなります。

いずれかのアークからヤマ場が作れるのであれば、もう一方のアークを事前に発展させる重要性は低くなります。

だからといって、その人物が選ばれし者であることに関連したキャラクターアークや葛藤を持ってはいけないということではありません。最も一般的なのは、選ばれし者が、果たして自分の運命を成しとげることができるのだろうかという疑念を持つことです。

このようなストーリーラインはありふれているので、あなたが書くストーリーを際立たせたいのであれば、別の人物の葛藤に焦点をあてたほうがいいかもしれません。選ばれし者が、告げられたことはすべて作り話だと思いこんでいるというのはいかがでしょう？　ステファン・R・ドナルドソンの〈信ぜざる者コブナント〉シリーズの主人公は、自分が救うことになっている世界は存在しないと、無理して思いこもうとします。ロイス・ローリーの『ザ・ギバー　記憶を伝える者』では、選ばれし者のパラダイムをみごとに覆しています。このストーリーでは、選ばれし者であることは尊敬や賞賛の対象ではありません。選ばれし者であるジョーナスは、そのことで友人たちから距離を置かれるようになり、果たして運命をまっとうする価値があるのだろうかと疑問に思います。さらに一歩踏みこんだ例に、選ばれし者であることに関連する尊敬や地位や権力を得られず、選ばれし者以外の人物が嫉妬するようになるというものがあります。ギレルモ・デル・トロ監督のアニメ『トロールハンターズ　アルカディア物語』では、トロールのブラーが新しいトロールハンターであるジム・レイクに対してまさにこのように感じ、ジムが自分自身を証明するまで、ジムのことを裏切り者や何かのまちがいであるかのように扱います。

登場人物を試す

ストーリーによっては、特に武器や道具によって選ばれたストーリーでは、選ばれし者になるには、ある特定の素質が求められます。ジム・ブッチャーの〈ドレスデン・ファイル〉シリーズでは、信仰の剣は忠実な者にしか反応しませんが、使用した者もけっして約束を破らないことを求められます。それによって、その剣を使う登場人物に絶え間ない葛藤がもたらされます。登場人物をテストすることは、求められることを満たすために成長したり、求められることを維持するために奮闘したりする必要があるため、選ばれし者のストーリーで個人的な成長を描くのに便利です。選ばれし者であることから生じる個人的な葛藤はいくらでもあり、どれを選ぶかは、あなたがどんなふうにストーリーを書きたいかによります。

まとめ

1. 運命の糸に依存しない、独自のドラマチックな筋を脇役に与えることで、多次元的なクライマックスが生まれ、それぞれが緊張感の解決に不可欠だと感じるようになります。
2. 運命の糸を敵対する力にするか、または道徳的に曖昧にすることで、ドラマチックな緊張感を高めるだけでなく、それが展開していくにつれてテーマや感情的なインパクトの重みも高めることができます。
3. 選ばれし者に、選ばれし者であることとは無関係のキャラクターアーク、動機、人間関係、葛藤を与えることで、より親しみやすい存在にすることができます。そこから生じる緊張感は、選ばれし者であることが理由で損なわれたり予測可能になったりすることはありません。それでも、選ばれし者であることに関連したアークを持つことはできます。

4. 選ばれし者のストーリーを構築する場合、関連する要素は第一幕で確立し、運命の糸と並行して展開するようにしましょう。

5. 選ばれし者はストーリーに何を加味するのか、と問うことが重要です。選ばれし者はストーリーで興味深い役割を果たしますが、このパターンはそのほかよりも若干落とし穴が多めです。もし登場人物をより興味深くすることが可能で、苦難を乗り越えさせることで読者の達成感を高め、選ばれし者ではないことで、動機がより誠実なものになるのなら、ストーリーは選ばれし者ではないほうがうまくいくでしょう。

第9章

ハードマジック
システム

本章で扱う作品

『指輪物語』
『ナルニア国物語』
〈ミストボーン〉シリーズ
『魔法の声』
『ハリー・ポッターと炎のゴブレット』
ほか

ファンタジーというジャンルは、お決まりのパターンであふれかえっています。たとえば、漠然としていて不自然なことも多々ある予言や、勇敢ですばらしい才能を持ち、プロット上不都合なため両親がいない選ばれしヒーロー、神話上の種族、魔法の剣、等々。しかし、ファンタジーがその他のジャンルと一線を画しているのは、魔法であることは、まずまちがいありません。あなたが創り出す世界において魔法が担う役割、登場人物が魔法を使ってどんなふうに問題を解決するのか、そしてそれがどんな問題を引き起こすのか。多くの場合、きわめてユニークなマジックシステムが、あるファンタジーのストーリーをその他のストーリーから際立たせることになります。

ファンタジー小説を書くにあたり、考えなければならないのは、マジックシステムをどの程度ハードにするかソフトにするかということです。〈ミストボーン〉シリーズをはじめ、数々の有名なシリーズの著者であるブランドン・サンダースンが、マジックシステムに関して「ハード」と「ソフト」という用語を広めました。サンダースンに感謝の意を表します。これらの用語は、一九八〇年代に「ハード」および「ソフト」なSFをめぐる議論から生まれたものですが、その原則とルールはファンタジーにも適用できます。そのため、ここではサンダースンの「三つのルール」をもとに、ファンタジージャンルのハードとソフトなマジックについて説明しますが、用語の微調整をすれば、同じルールをあらゆるSF作品にも適用できることを覚えておいてください。

1. 大まかに言えば、ソフトマジックシステムとは、魔法がストーリーのなかで使われる際のルールや限界が曖昧だったり、未定義だったり、謎めいたりしているという意味です。ファンタジージャンルでは古くから使われているものであり、たいていの神話はソフト寄りです。異世界の生きものの力は、まとめられていない正典や口伝を通じて理解するしかなく、しばしば神秘的だったり一貫性がなかったりします。ソフトマジックもまた、トールキンの『指輪物語』やC・S・ルイスの『ナルニア国物語』によって、一九四〇年代から五〇年代にかけての初期のファンタジージャンルを定義するのに役立ちました。トールキンの作品では、ガンダルフはとんがり帽子をかぶり、杖を持ち、大きな声を使って魔法使いのようなことができますが、ガンダルフにできること、できないことの具体的な限界となると、トールキンはその詳細をほとんど明らかにしていません。同様に、『ナルニア国物語』では、理解する者も知る者も少なく、コントロールできる者も少ない古代の魔法に浸った世界が描かれます。たとえば、「もとの魔法」の怒りを鎮めるには、ライオンのアスランが犠牲となるべきだというように、ルールが明示されることはほとんどありません。それによって、ストーリーに驚きと畏敬の念が生じます。

2. 一方、ハードマジックシステムには、より明確に定義されたルール、結果、限界があり、魔法を使ってできること、できないことが規定されます。ハードマジックシステムの好例は、ブランドン・サンダースン自身の〈ミストボーン〉シリーズに登場する合金術です。このシステムでは、異なる金属を消費して自分のなかで「燃やす」ことで、明確で特殊な魔力を得ることができます。鉄は金属を自分のほうへ引き寄せ、錫(すず)は五感を強化し、鋼は金属を自分から遠ざけることができます。行為の善し悪しは結果でのみ判断される結果論に重点が置かれます。

ストーリーのなかのマジックシステムは、ソフトからハードまで、どの段階にも設定することができ、どちらのスタイルも異なる種類のストーリーにとってメリットとデメリットがあります。この章では、ハードマジックについてくわしく説明します。第10章ではソフトマジックについて説明し、サンダースンの第一のルールと第二のルール、そしてスタイルについても説明します。サンダースンの第三のルールについては、第10章と第11章で説明します。

サンダースンの第一のルール

サンダースンが書いたエッセイ「魔法の三つのルール」〈以下に全文掲載。https://faq.brandonsanderson.com/knowledge-base/what-are-sandersons-laws-of-magic/〉のなかで、ハードファンタジーにとって最も重要なのは、第一のルールです。

魔法を使って対立を解決する作者の手腕は、その魔法に対する読者の理解度に正比例する。

書くことの大部分は、すぐれたストーリーを作るために、問題をどのように設定し、それを満足のいくように、どのように解決するかということに占められています。たとえば、ガンダルフに何ができるのかまったくわからないまま、緊張感のある場面で、ガンダルフが行きあたりばったりの、見たこともない呪文を使って旅の仲間がかかえる問題をすべて解決したとしたら、それは納得できる解決にはなりません。作者が「魔法使いが解決しました」と書いて、見え透いたデウス・エクス・マキナに読者が満足するとでも思っているような感じがします。

サンダースンの第一のルールは、マジックシステムをどのように設計するのか、そしてそれをストーリーのなかでどんなふうに使うのかということに関するものです。読者がマジックシステムを物語の要素として把握し、理解すればするほど、魔法を使ってストーリー上の問題を満足のいくように解決することができます。反対に、読者がマジックシステムについて把握も理解もしていなければ、魔法で問題を解決しても納得できません。これには、登場人物が魔法を使ってできることとできないこと、魔法でできることの潜在的な力と限界を理解することも含まれます。

　こんなふうに、魔法が定義されたツールになると、魔法によって問題が解決されても、作者が「魔法使いが解決しました」と言っているようには感じなくなります。魔法は、そのほかの能力と同じように、登場人物の経験、知性、創意工夫と一体化して問題を解決するようになります。

　ソフトマジックを書くときに作者が直面する課題のひとつは、読者がだまされたと感じることです。なぜなら、ある状況下で魔法がどこで使われ、何ができるかを予測するのが困難だからです。それとは対照的に、ハードマジックでは、読者がマジックシステムの仕組みに関する自分自身の知識を駆使して、ある状況でどんな魔法が使われるかを予測できるようになるため、登場人物とつながりを持つことができます。『アバター　伝説の少年アン』のマジックシステムは、ソフトとハードの中間で、いくぶんハード寄りです。視聴者は、登場人物が空気、水、土、火の四つの元素のいずれか——アバターを除く——を操作、つまり「曲げ」の技を使うことができると理解しています。水の技に関しては、シリーズ全般を通して何度も、木や草花のつる、さらには人間の汗といったさまざまな水源から水分を引き出せることが明かされています。海や川である必要はありません。脚本家たちによって効果的に確立されたこの明確な理解があるからこそ、水の技の使い手カタラが、問題を解決するために血液を操って技を使ったときも、合理的で満足のいく解決になるのです。視聴者が事前に知っているなら、これは理にかなった推理であり、視聴者もカタラと同じように解決法を見つけ出せたはずです。ストーリーを読むときも同様で、あれこれ問いながら会話するかのようにストーリーに引きこまれるので、読者の没入感を高めることができます。ミステリアスな印象は薄まるかもしれませんが、チェスの対戦中に駒が増えるとともに考えることが増えるように、読むときにも考えることが増えるというわけです。

ハードマジックシステムの設計――予測可能性

一般的に、マジックシステムが難解であればあるほど、それがどのように機能し、使用したらどのような結果をもたらすかについて、より具体的なルールを決めなければなりません。ソフトマジックはミステリアスで予測不可能ですが、ハードマジックシステムの場合は、読者が予測可能なレベルと、内側の世界での一貫性が求められます。たとえば、魔法使いがある特定の呪文を唱えれば、ある特定の魔法の結果が生じるといった具合に。これは、魔法がひどく失敗した場合に、悲惨な結果や、予測不可能な結果をもたらす可能性がハードマジックシステムにはないという意味ではありません。そのような結果は、魔法が本質的に予測不可能だからというよりも、登場人物のその魔法についての知識不足、魔法の実行ミス、意図していた魔法の誤用がもたらすことが多いということです。これを完全に説明しているのが、対話型のロールプレイングゲーム『ダンジョンズ&ドラゴンズ』で、基本の呪文を唱える際のルールです。レベル一のウィザードであるプレイヤーは、「オブスキュアリング・ミスト（覆い隠す霧）」を唱えるには、その日の早いうちに呪文を準備しておく必要があること、それを唱えるには約六秒間の集中が必要であること、そしてこのふたつの条件が満たされれば、周囲二〇フィート四方に霧が発生することを理解しています。自分のレベルより高い呪文を唱えようとすると知識不足で失敗し、集中力に欠けると実行ミスで失敗します。このシステムは予測可能です。

サンダースンの第二のルール

ハードマジックシステムを設計する際の指針は、サンダースンの第二のルールで最もよく表現されています。

限界は、力よりも重要である。

ハードマジックシステムは多くの場合、限界、弱点、代価の三つに集約されます。これらは基本的に、あなたが創作した世界で魔法がどのように作用し、登場人物がどのように魔法を使ったり魔法のことを考えたりできるかを定めるルールとなります。たとえば、はだかでいるときにかぎって人の心を操れる、とても礼儀正しいヒーローはいかがでしょう？　魔法を使うとクリスマス音楽に弱くなるとか、魔法を使うたびに若返るなども妙案です。

限界

あなたが考え出した魔法で、できないことはなんでしょうか？　魔法の限界において最も一般的なものは、習得しようとする者の強さ、才能、意志の力、訓練、または精神的な洞察力といった曖昧に定義されたもので、どれも正確に数値化できないものです。つまり、「人間という測り知れない存在が扱えるぶんだけ」というルールに帰結します。この枠組みの問題点のひとつは、こうしたものは数値化できないため、それを使ったストーリーは魔力の低下や矛盾が生じやすいということです。

限界について、もっと明確で興味深い例をあげます。コルネーリア・フンケの『魔法の声』では、主人公のメギーの父親であるモーには、本のなかの登場人物を現実世界へ呼び出す力がありますが、その力には限界があることが示されています。モーは他人が書いた本でなければ力が使えないのです。これは、このストーリーのなかで魔法が使える範囲を決定する明らかな限界です。本がなければ、実質モーは無力です。これについては、このあとの項でくわしく説明します。このような限界はよく使われがちなため、あなたのマジックシステムを一般的なパターンから抜きん出たものにしようと思っているのなら、曖昧な限界に頼らないアイデアを検討しましょう。たとえば、ある種の植物、月、鉱物といったような、特定の要因がまわりにあるときに能力が制限されるような設定を検討してみてください。そうすれば、魔法使いはつねに周囲の環境に気を配らなければならないし、さらには敵に利用されるという可能性も生じます。

弱点

マジックシステムにおいての弱点は、通常なら魔法によって登場人物がまわりの人々よりもはるかに強くなるストーリーに、興味深い力学を生み出すことができます。トールキンの『指輪物語』では、一つの指輪を着けると人間からは見えなくなりますが、モルドールではサイレンが鳴り響き、ナズグルの標的になります。これは、魔法の力を使うことで生じる明確な弱点です。さまざまな力が登場するストーリーを書こうとしているなら、ある力を使うと別の力に弱くなるという設定はいかがでしょう？　その弱点を利用できる人のそばでは、力を使うことに慎重にならざるをえないので、おもしろくなりそうです。

代価

魔法に関するルールを作る際に最も一般的なものは、魔法を使うにはなんらかの代価を必要とすることでしょう。荒川弘の『鋼の錬金術師』では、「x」を「y」へ変えるためには正確な材料が必要です。魔女や魔法使いを主人公にしたファンタジーシリーズの多くには、特定の材料を必要とする魔術や呪文があります。J・K・ローリングの『ハリー・ポッターと炎のゴブレット』では、縮こまった人間の子供のようなものからヴォルデモートを復活させるために、ワームテールは特定の材料だけでなく、それらを特定の方法で入手することを求められます。


「父親の骨、知らぬ間に与えられん。父親は息子を蘇らせん！」

（中略）

「しもべの――肉、――よ、喜んで差し出されん。――しもべは――ご主人様を――蘇らせん」

（中略）

「敵（かたき）の血、……力ずくで奪われん。……汝は……敵を蘇らせん」

（松岡佑子訳、静山社、二〇〇二年、下巻四三六－四三七頁）


弱点の場合と同様に、魔法の代価として多用されているのが、肉体的なエネルギーや「気」、あるいは個人の内部にある漠然とした魔力の源のようなものです。ロバート・ジョーダンの〈時の車輪〉シリーズや、クリストファー・パオリーニの〈ドラゴンライダー〉シリーズでは、魔法を使うと体力を消耗します。これは、ヒーローになろうと奮闘して、魔法を致死量に至るまで使いすぎなければ問題ないでしょう。魔法が疲労を引き起こすという設定は、強者と弱者を区別する簡単な方法なので、ありふれたものです。強い魔法使いは、ひるみもせず火の玉ひとつで軍隊を打ち負かし、弱い魔法使いは、ハエを叩き潰そうとするだけで倒れます。これは、消耗という、だれにとってもわかりやすい経験をあてにするものでもあります。

しかし、この枠組みにはいくつかの問題があります。〈ドラゴンライダー〉シリーズや『ドラゴンボールＺ』のようなストーリーで、プロットが主人公の成功を要求するときに、主人公が魔法のアクション「x」を起こすのに必要な「意志の力」をじゅうぶんに持っているだけというのは、少々都合がよすぎるように思えます。また、プロットが失敗を要求するときに、主人公が魔法のアクション「y」を起こすのに必要な意志の力やエネルギーが不足しているだけという場合も同様です。努力という漠然とした要求は、特に体力の消耗が限界に直結し、体内のエネルギーを失うことが代価に直結する場合、ほとんど数値化できません。読者は、たとえば火の玉を作り出すために必要とされる正確な代価をすぐに理解することはできないでしょう。特に、訓練によって火の玉を投げるのが容易になり、その結果エネルギーの代価が減るのであればなおさらです。この「代価」は、プロットが要求すると大幅に無視されることがあり、それによって、ハードマジックシステムできわめて重要な一貫性と予測可能性が弱まることになります。

わたしの好きな魔法の代価のひとつは、実はジョージ・Ｒ・Ｒ・マーティンの〈氷と炎の歌〉シリーズに登場する、最もソフトなファンタジーのマジックシステムによるものです。ベリック・ドンダリオンは魔法を使って何十回も生き返させられ、それがベリックを変えることになります。ジョージ・Ｒ・Ｒ・マーティンはつぎのように述べています〔以下で音源を聴取可能。https://maximumfun.org/episodes/bullseye-with-jesse-thorn/george-r-r-martin-author-song-ice-and-fire-series-interview-sound-young-america/#transcript〕。

> 死から生還したわたしの登場人物たちは疲れ果てている。ある意味、もはや同じ人物ですらない。肉体は動いているかもしれないが、精神のある面が変化しているか変形していて、何かを失っている。

死からの生還にともなう代価は、ベリック・ドンダリオン自身の一部です。それが具体的に何かは語られませんが、作品中で描写されるベリックの性格から見てとれます。あなたのマジックシステムを突出したものにしたいのであれば、魔法にともなう代価には独自の手段を探すようにしましょう。たとえば、土の成分を操作すると、周囲の植物が枯れるというのはどうでしょう。そこからさまざまな影響が波及する可能性があるので、探求するにはもってこいです。もしあなたが描く魔法が一般的なものだったら、農作物や森林を守るために使用を禁じられるというのはいかがでしょう。

限界、弱点、代価は必要か

本書のような記事や本を、ハードマジックシステムを設計する際のチェックリストとして扱うのは理解できます。しかし、限界、弱点、代価の重要性を説明したからといって、すぐれたハードマジックシステムにそれらすべてが必要だと言っているわけではありません。ハードマジックシステムをストーリーに織りこむための鍵は、結局のところ、予測可能性と一貫性であり、このふたつには、限界、弱点、代価のすべてが必要ではないからです。

ブランドン・サンダースンの〈ミストボーン〉シリーズにおいて、最も傑出したマジックシステムは、合金術だと言えます。前述したように、多種類の金属のいずれかを摂取することで、それぞれ異なる力が発揮されます。シリーズでは合金も使われますが、効果を発揮するには特定の割合で調合する必要があります。たとえば、ピューターを「燃やす」と、摂取した人の身体能力が強化されます。何時間も高速で走りつづけたり、激しい肉体労働をしたり、運動能力を高めたりすることができます。この魔法には大きな利点があるのに対し、ピューターを摂取したり、摂取後に能力を使用したりすることに対する高い代価はともないません。使用後何時間も動けなくなるわけでもなく、精神的な鋭敏さを奪われるわけでもなく、寿命が縮むわけでもありません。なぜでしょうか？　それは、サンダースンが合金術を代価ではなく、強硬な限界を設定して工夫したからです。読者は、合金術が登場人物をどこまで強力にするのか、力の限界を理解しています。登場人物がどこまで強くなり、速くなり、持ちこたえられるのかも見当がついています。曖昧さはほとんどなく、それによって予測可能性と一貫性が保たれます。

あなたのハードマジックシステムの限界や弱点が、登場人物に必要な予測可能性や一貫性を確立するほど強力なルールを作り出す場合、大きな代価を設定する必要はないかもしれません。同様に、魔法の代価がじゅうぶんに大きい場合、きびしい限界や弱点を設定しなくてもいいかもしれません。弱点があるために強くなるのに高いリスクにさらされたり、代価がともなうために魔法を使うタイミングを注意深く計算して判断したり、限界があるために策略や技能に頼ったり、どのようなルールに依存したハードマジックにするかは、あなた次第です。

魔法の代価のすばらしい例として、ロバート・ジョーダンの〈時の車輪〉シリーズがあります。このストーリーでは、魔法の「絶対力」の半分である「男性源」を使用する男性が、力を使うにつれて徐々に正気を失っていきます。これは魔法を使う高い代価であるだけでなく、しばしば周囲の愛する人を破壊する結果を引き起こすため、その影響は永続的でもあります。サンダースンの作品とは異なり、ジョーダンのマジックシステムには強硬な限界はありません。理論的には、異能者（アエズ・セダーイ）の魔法使いは、魔法そのものに限界はほぼなく、事実上なんでもできます。しかし、その使用には狂気という高い代価がともない、なかには消耗して死に至る者もいます。同じように、高い代価がともなえば、登場人物の魔法の使い方が制限されるため、強硬な限界はさほど必要ではなくなります。

スタイル

魔法のスタイルを選ぶのはいつだって楽しいものです。一般的に、ハードマジックシステムはソフトマジックよりも具体的である必要があります。あなたが求めているのは、神や天使や悪魔の力を利用する神秘的なマジックシステムでしょうか？　それとも呪文を唱えるために特別な魔法の道具が必要だったり、血と生贄が必要な犠牲をともなうシステムだったり、あるいは、万物に浸透している偏在的な力を利用することを求める魔法でしょうか？

作家は、これまで述べたマジックシステムの要素よりも、スタイルの設計に集中しがちです。あなたのマジックシステムの美学は重要ですが、予測可能性と一貫性、そしてそのなかの限界、弱点、代価こそが、あなたのストーリーの葛藤、問題、登場人物のやりとりに最も深く関わってきます。美的センスよりも、まずそれらを優先して考えるほうが、よりまとまりのある魔法の枠組みにつながることでしょう。

まとめ

1. 大まかに言えば、ソフトマジックシステムとは、魔法がストーリーのなかで使われる際のルールや限界が曖昧だったり、未定義だったり、謎めいたりしているという意味です。一方、ハードマジックシステムには、より明確に定義されたルール、結果、限界があり、魔法を使ってできること、できないことが規定されます。
2. 読者がマジックシステムを物語の要素として把握し、理解すればするほど、魔法を使ってストーリー上の問題を満足のいくように解決することができます。反対に、読者がマジックシステムについて把握も理解もしていなければ、魔法で問題を解決しても納得できません。ハードマジックが失敗するのは、多くの場合、まちがいや誤用、知識不足によるものです。

3. 魔法を使うのに必要なエネルギーや意志の力といった、限界が曖昧なものの問題点は、こうしたものは数値化できないため、それを使ったストーリーは魔力の低下や矛盾が生じやすく、プロットが要求するときにも代価が大幅に無視されます。それによって、ハードマジックシステムできわめて重要な一貫性と予測可能性が弱まることになります。

4. ハードマジックシステムの限界や弱点が、登場人物に必要な予測可能性や一貫性を確立するほど強力なルールを作り出す場合、大きな代価を設定する必要はないかもしれません。同様に、魔法の代価がじゅうぶんに大きい場合、きびしい限界や弱点を設定しなくてもいいかもしれません。

5. マジックシステムの美学は重要ですが、予測可能性と一貫性、そしてそのなかの限界、弱点、代価こそが、あなたのストーリーの葛藤、問題、登場人物のやりとりに最も深く関わってきます。

第10章

ソフトマジック システム

本章で扱う作品

〈ハリー・ポッター〉シリーズ
『ストレンジャー・シングス　未知の世界』
『ホビットの冒険』
〈氷と炎の歌〉シリーズ

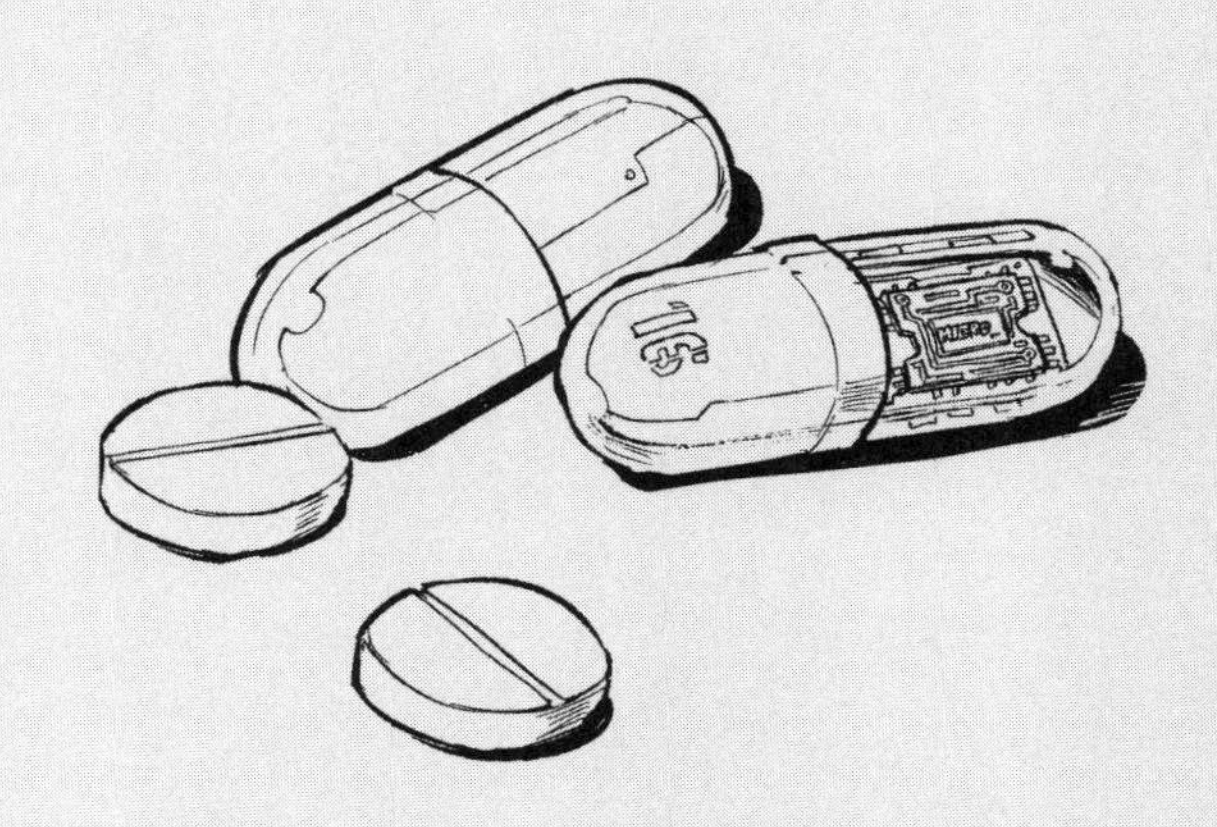

ある登場人物が、探求という自分の役目を果たしている途中で、古代の魔法に彩られた神秘的な場所へたどり着きます。そこには怪しげな魔法使いがいて、閃光を放つふしぎな魔法を使うのですが、その魔法についてはまったく説明されない――こんなストーリーを読んだことがありますか？　その場合、あなたが読んでいるのは、ソフトマジックシステムのストーリーである可能性が高いです。

ハードマジックシステムの作品は、魔法を機能させるためにどのように設計するかに注目しますが、ソフトマジックシステムの作品は、すぐれた物語に魔法をどのように組みこむかに重点を置きます。そのポイントについてこの章で説明します。ポイントは、緊張感、視点、直接魔法を操らない、予測不可能性、複数の魔法システム、スタイルの六つに集約されます。ブランドン・サンダースンがストーリーに使うのはきわめてハードなマジックですが、サンダースンの「魔法の三つのルール」は、ハードからソフトまで、どんな段階のマジックシステムを使う場合でもあてはまります。サンダースンの第一のルールを再掲しましょう。

魔法を使って対立を解決する作者の手腕は、その魔法に対する読者の理解度に正比例する。

緊張感

作者がどれだけうまく緊張感を解決できるかは、あなたをはじめとする作家の力量を見きわめる試金石になりますが、ソフトマジックシステムを使用すると、この難易度はさらにあがります。というのも、読者が登場人物の能力を知らない場合、緊張感を高めることがとてつもなく困難になるからです。しかし、それこそがソフトマジックの特徴です。読者は、あなたが書く世界で使われる魔法の限界、弱点、代価について多くを理解することを想定されていいません。この枠組みには利点があり、本質的にはなんの問題もないのですが、書き手にさらなる課題を突きつけることになります。読者は、あなたの向こう見ずなヒーローがいつほんとうの試練に直面するのか、あるいは魔法使いが振り返り、「恐れるなかれ、哀れな人間どもよ。これを見よ」と言い、魔法で危機から救い出してくれるのかどうかを知りません。この点で注意を払わないと、読者が予測できず、理解もできないソフトマジックを使ってストーリーの緊張感を解決することとなり、読者にとっては、作者が「魔法使いが解決しました」と開きなおり、正面からデウス・エクス・マキナを投げつけられているようにしか感じられません。

ソフトマジックで緊張感を解決する

では、緊張感を解決するためにソフトマジックを使ってはいけないのでしょうか？　もちろんそんなことはありません。マジックシステムは、ハードからソフトのどの段階でもかまいませんし、両方のバランスをとったストーリーもたくさんあります。そのようなマジックシステムを設計する最も一般的な方法は、ソフトマジックシステムにおいては事実上、不可能なことは何もないが、個々の登場人物は、限界、代価、弱点が明確な特定の力しか持たないというものです。J・K・ローリングの〈ハリー・ポッター〉シリーズは、このパターンの好例です。シリーズ全体を通して、魔法に適用される実際の限界はごくわずかです。つまり、魔法使いが必要とするほぼすべてのことを実行できる呪文が存在しているというわけです。だれかを殺したい？　そのための呪文があります。厄介なマグルを追い払いたい？　そのための呪文があります！「オブリビエイト」で記憶を消せるのに、いやなことを忘れるために酒を飲む必要がどこにあるのでしょう。それに加えて、ローリングは、『ハリー・ポッターとアズカバンの囚人』で、魂を吸いとるディメンターと戦うことがプロット上必要になったときに、幸福からできた霊獣を創作して「エクスペクト・パトローナム」を導入したように、必要なときに新しい呪文を定期的に導入しています。この呪文をはじめ、ローリングがシリーズを通して導入するそのほかの呪文は、すでに確立したマジックシステムのどんな構造にも属するものではなく、適切な呪文、杖の動き、魔力さえあれば、なんでも可能なような気がします。〈ハリー・ポッター〉シリーズのマジックシステムは比較的ソフトで、理論上可能なことの明確な境界線はありません。

　ところが、登場人物たち、特にロン・ウィーズリー、ハーマイオニー・グレンジャー、ハリー・ポッターの魔力はきわめて限定的です。マジックシステムにおいては、理論上なんでも可能ですが、この三人は、その場で呪文を編み出すこともできないし、必要なことをなんでもできるわけでもありません。ハリーたちの能力は、作品を通じて、三人が学んで訓練してきたことを読者が知っている呪文や薬草に限られています。緊張感が高まり、維持され、問題が魔法によって解決されても納得できるのは、たとえ魔力がソフトマジックシステムに由来するものだとしても、読者はハリーの能力を理解しているからです。たしかに魔法によって解決したのですが、「魔法使いが解決しました」とは感じないので、読者はだまされた気にはなりません。マジックシステムそのもので可能なことを制限せずに、登場人物にきびしい限界を設定することで、謎と可能性の予感を残すだけでなく、予測可能性と一貫性を維持することができます。このバランスをとることが肝心です。

ソフトマジックで緊張感を生じさせる

ソフトマジックを使って緊張感を奇跡的に解消すると、読者はだまされたと感じるかもしれませんが、緊張感を引き起こすために使用する場合は、さしたる問題はありません。主人公よりも、敵役に漠然とした力を持たせるほうがはるかに簡単ですが、問題が起こらないとはかぎりません。ロスとマットのダファー兄弟が製作総指揮を務めた『ストレンジャー・シングス』には、マインドフレイヤーという敵が登場します。わたしたちはマインドフレイヤーの力は理解できないかもしれませんが、それでも魅力的な敵役であることに変わりはありません。それに対して、イレブン（エル）の力はある程度理解しています。エルは主人公であり、問題を解決するために力が使われるからです。わたしたちは、エルがテレキネシスを持ち、異次元へ精神を投影できること、怒りによって力が強まること、そして力を過剰に使うと出血したり失神したりすることを知っています。ソフトマジックを使って緊張感を引き起こす場合は、敵役の力に一貫性を持たせることが重要です。もし敵役が念力で他人の精神を無力化できるのなら、それがのちに意味を持つように使いましょう。同様に、登場人物が解決しなければならない難題を正体不明のソフトマジックが作り出しても問題ありません。言い換えれば、ソフトマジックを使って登場人物の人生を大混乱に陥れるのに遠慮はいりません。生まれてきたことを後悔させてやりましょう！

視点

魔法を使う者の視点からストーリーを語るのか、魔法を使わない者の視点から語るのかで、書き方が変わってくるかもしれません。ソフトマジックを使ったストーリーの傾向としては、魔法を使う者の視点から書かないケースがよく見られます。たとえば、グレン・クックの〈ブラック・カンパニー〉シリーズ（未訳）は、きわめてソフトなマジックシステムが取り入れられていて、主人公たちは日常的に魔法を使いますが、魔法を使わない登場人物であるクロウカーの視点から語られます。これにはいくつかの理由が考えられます。

1. 魔法が視点の外側に存在すれば、魔法のことを世界の神秘で未知なる力として見ている登場人物に読者を同調させることができます。これは、本質的に神秘で未知のものとされるソフトマジックシステムには効果的です。
2. 神秘で未知なるものという感覚を伝えるのは、魔法について何かしらを理解しておく必要がある人物の視点からは、むずかしいかもしれません。この点について、わたしがよく引き合いに出すのが、トールキンの『ホビットの冒険』です。このストーリーは、魔法を使わないホビット、ハンカチ好きなビルボの目を通して語られます。ビルボはどこでどんな魔法や呪文に直面するか、あるいはホビットを見くだしているエルフの王にどこで出くわすか予測できないので、ビルボが語ることでミルクウッドの森の未知なる感覚が強まります。もしストーリーが、灰色のガンダルフのような、先の見通しが立つ魔法使いの視点から語られたら、神秘的な緊張感を生み出すのはもっとむずかしくなるでしょう。

いいや、どうしてもソフトマジックのストーリーを魔法使いの視点から書きたい——その場合は、どうすればいいでしょう。書くという手段はいくらでも融通が利くため、サンダースンの第一のルールと第二のルールを破ることなしに、これを実現する方法は無数にあります。ですが、ここでは特によく使われ、ストーリーに興味深い力学を加える方法をふたつお伝えします。

魔法を直接コントロールしない

ひとつ目の方法は、魔力を持ちながらも、それを直接コントロールできない人物の視点から書くことです。このパターンは、アーサー王物語（アーサーに宿る「王家の魔法」によって岩から剣を引き抜くことができた）や、テリー・プラチェットの『ザ・ライト・ファンタスティック』の主人公リンスウインド（心のなかに呪文を封じこめていて、使うことができない）に見られます。ジョージ・R・R・マーティンの〈氷と炎の歌〉シリーズでは、デナーリス・ターガリエンはヴァリリアの魔法を持って生まれてきます。この魔法についてわたしたちは、火と血に関係があることは知っていますが、それ以上のことは知りません。デナーリスだけがドラゴンとつながりを持つことができ、第一巻の最後で燃えさかる葬儀の火床に立って生き延びることができたのは、ヴァリリアの魔法によるものです。[*1] しかしデナーリスは、与えられた力を直接コントロールすることはできません。これは受け身の能力であり、ソフトマジックが使われる場面です。デナーリスのストーリーで起こるこうした魔術的な出来事は、ヴァリリアの魔法の限界、弱点、代価についての情報をほぼ何も伝えません。

デナーリスには魔力がありますが、それをコントロールする力はありません。作者のマーティンは、サンダースンの第一のルールを破っているわけではありません。なぜなら、魔法が対立を解決するためではなく、主にデナーリスのストーリーをより興味深くするために使われているからです。ドラゴンを論理的にストーリーに登場させることはできても、ドロゴンがエッソスの子供たちを捕食するという問題を魔法で解決することはできないのです。[*2]

登場人物が受け身の魔法をほぼコントロールできないようにすることで、物語に緊張感を持たせることができます。問題を解決するためには、持ち前の知性、創意工夫、技能に頼らざるをえないからで、とりわけ魔法が予測不可能な場合はなおさらです。言い換えれば、まるで異質な闇の王を打ち負かすことができるのは、だれにも扱うことのできない運命の剣を振るう主人公の魔力ではありません。主人公が闇の王の弱点と剣の扱い方を学ぶために注ぎこんだ努力の為せるわざです。ソフトマジックは、対立の解決を容易にすることはできますが、解決そのものに使おうとすると──「魔法使いが解決しました」と思われることでしょう。

予測不可能性

ソフトマジックを使う登場人物の視点から書くふたつ目の方法は、予測不可能な要素を盛りこむことです。ハードマジックが予測可能で一貫していることに大きく依存しているのに対し、ソフトマジックは予測不可能にできる余地が大いにあります。語り手自身が使う魔法の限界や能力について不確かにすることで、ストーリーが興味深くなり、魔法の仕組みを正確に説明せずに、神秘的な感覚を保つことができます。

そのすばらしい例が、ジョージ・R・R・マーティンの〈氷と炎の歌〉シリーズに登場するメリサンドルです。メリサンドルは積極的に魔法を使って物事を成しとげようとする希少な視点人物のひとりですが、その力の限界やルールを、読者ばかりか自分自身も完全には理解していません。たとえば、メリサンドルはスタニス・バラシオンのために大規模な生け贄の儀式を執りおこない、それによってスタニスが、世界の救世主アゾル・アハイに変身すると信じていましたが、そうはなりませんでした。メリサンドルが導きを求めて光の主を召喚できるときもあれば、同じ方法でもうまくいかないときもあります。光の主を崇めるそのほかの司祭は、死後長期間経ってから人を生き返らせることは、レディ・ストーンハートで証明されているように、予測不可能で危険な副作用をもたらしうると指摘しています。そのルールは、魔法のアクション「x」は魔法の効果「y」と等しい、のように明確ではありません。

いずれにしても、予測不可能な魔法は、問題を解決することにフォーカスするべきではありません。むしろ、その予測不可能な面と、それがどのようにストーリーを豊かにするのかという役割に重点を置くべきです。ハードマジックではファンタジー要素をストーリーに加えることは困難ですが、ソフトマジックでは容易で、これをうまく使いこなす作家は物語の魅力をまちがいなく高めることができます。予測不可能な魔法は、おそろしく失敗することも多く、登場人物にさらなる問題をもたらしたりもします。H・P・ラヴクラフトは、そのことを心得ていました。ラヴクラフトらが創造したクトゥルフ神話に登場する「古き者ども」と接触した人は、破滅を招いたり、予測不可能な恩恵を受けたり、呪われたりします。これは、ハードマジックでは到底不可能な、古の雰囲気と読者を夢中にさせる見せ場を作り出すものです。マーガレット・ワイスとトレイシー・ヒックマンの〈冥界の門〉シリーズでは、魔法が強力であればあるほど、予測不可能な副作用が劇的に現れます。ある登場人物が降霊術を使うと、別の人物がランダムに死ぬ、といった具合に。

視点人物にこのような魔法を使わせて、ストーリーの展開にプラスだけでなく、マイナスや中立的な意味でも実際に影響を与えられるようにするのは、とてもいいアイデアです。予測不可能な魔法を使って問題を奇跡的に解決しすぎると、説得力に欠けると思われてしまうので、これはとても重要なことです。魔法がもたらす中立やマイナスの結果は、魔法を使うことのリスクと利害関係を生み出し、魔法が成功する数少ない機会を読者にとって受け入れやすいものにします。そのようなストーリーでは、一貫性のない魔法のなかでも一貫性の原則を証明する必要があります。

予測不可能な魔法のバリエーションとして、わたしが気に入っているのは、テリー・プラチェットの〈ディスクワールド〉シリーズです。未読の方に説明すると、このシリーズは、ファンタジーとコメディ、そしておそろしい実存主義のあいだの調和が完璧にとれた作品です。この世界では魔法に人格のようなものがあり、魔法をコントロールするのは容易ではなく、別のことをさせたいときでも、勝手に物事を決めてしまうことがあります。魔法にある種の知覚力を与えることは、読者がストーリーを探求していくうえで、確実に興味を引く要素になります。ハードマジックが失敗するのは、魔法の使い手がルールや限界を理解していないことが原因ですが、ソフトマジックは、単にコントロールできない、予測できないという性質から、失敗することがよくあります。つねにトラブルがついてまわるという危機感を失わなければ、「魔法使いが解決しました」と思われることはないでしょう。

マジックシステムはいくつ持つべきか？

ブレント・ウィークスの〈ライトブリンガー〉シリーズ（未訳）や、ジョージ・ルーカスの〈スター・ウォーズ〉シリーズのように、ファンタジーやSFのストーリーには単一のマジックシステムが使われることは割と一般的ですが、ストーリーに複数のマジックシステムを盛りこむことは可能ですし、その利点もあります。ソフトとハードのマジックシステムを同時に使うこともできます。パトリック・ロスファスの〈キングキラー・クロニクル〉三部作では、ハードマジックシステムの「シンパシー」があり、それよりもはるかにソフトな「ネーミング」や「フェイの魔法」もあります。〈氷と炎の歌〉シリーズでは、顔のない男たち、古の神々、光の王、異形（ジ・アザー）、森の子ら、古代ヴァリリア魔法などが登場し、さながら各種魔法を取りそろえたビュッフェといった状態です（これらはおそらく異なるシステムだと思われますが、微妙に異なるバリエーションを持つ同じマジックシステムだという説もあります）。これらの魔法は互いにあまり関連せず、ハードマジックとソフトマジックの両方が混在しています。両方のシステムを使ってストーリーを書くことができ、どちらのスタイルがベストかは、あなたが書く物語に合うかどうか次第です。あなたの小説をなんとしてでも抜きん出たものにしたいと切実に望むのであれば、複数のマジックシステムを使うといいかもしれません。わたしはつねづね、このことがまだじゅうぶんに検討されていないのは残念だと思っています。複数のシステムを使えば、あなたの世界に神秘的な要素が加わり、一方、ひとつのみにすれば、ハードマジックに必要な予測可能性と一貫性を確立するのに役立ちます。

スタイル

ソフトマジックシステムは、多くの場合、予測可能性や一貫性よりも、その美学がはるかに重要なことから、汎用性と柔軟性がきわめて高いという利点があります。儀式的な魔法、呪文を唱える魔法、悪魔や天使を召喚する術式、世界各地でふしぎなパワースポットのありかを示すレイライン、あるいはこれらを組み合わせたり、これらすべてをいっぺんに使ったりすることもできるでしょう。ハードマジックシステムは通常、ひとつかせいぜい二、三のスタイルに依存します。明確で一貫性のあるルールのためには、たいていの場合、制限を加える必要があります。対照的に、多種多様な美学を持たせれば、マジックシステムに移ろいやすさや壮大さを加えることができ、予測可能性やルールを確立することよりも、驚きや恐怖、畏怖の念に頼ることができます。サンダースンは、エッセイ「魔法の第一法則」でつぎのように書いています。

> ソフトマジックは、本のなかで驚きという感覚を存続させ（中略）設定にファンタジーの雰囲気を加え（中略）人間が、永遠で神秘的な宇宙の営みのごく小さな一部にすぎないことを示すものである。

まとめ

1. ソフトマジックの主要な課題は、読者が登場人物の能力を知らない場合、緊張感を高めることがとてつもなく困難だということです。これを回避するための一般的な方法は、全体としては、ほぼ限界のない非常にソフトなマジックシステムを使い、個々の登場人物には、限界、代価、弱点が明確な特定の力しか持たせないようにすることです。

2. ソフトマジックシステムは、緊張感を引き起こすために使用する場合は、さしたる問題はありません。主人公よりも、敵役に漠然とした力を持たせるほうがはるかに簡単です。ソフトマジックを使って緊張感を引き起こす場合は、敵役の力に一貫性を持たせることが重要です。

3. 魔法が視点人物の外側に存在すれば、魔法のことを世界の神秘で未知なる力として見ている登場人物に読者を同調させることができます。これは、本質的に神秘的で未知なるものとされるソフトマジックシステムには効果的です。その神秘で未知なるものという感覚を伝えるのは、魔法について何かしらを理解しておく必要がある人物の視点からは、むずかしいかもしれません。

4. 登場人物が受け身の魔法をほぼコントロールできないようにすることで、物語に緊張感を持たせることができます。問題を解決するためには、持ち前の知性、創意工夫、技能に頼らざるをえないからで、とりわけ魔法が予測不可能な場合はなおさらです。ソフトマジックは、緊張感を作りあげることはできますが、解決することはできず、ストーリーをより興味深いものにするためによく使われます。

5. ソフトマジックを使う登場人物の視点から書く場合、予測不可能な要素を盛りこんで、語り手自身の限界や結果、能力について不確かにすると、書くのが容易になります。このようにすることで、魔法の仕組みを正確に説明せずに、神秘的な感覚を保つことができます。

6. 予測不可能な魔法がストーリーの展開にプラスの影響だけでなく、マイナスや中立の影響も与えると、力強い文章にできます。魔法がもたらす中立やマイナスの結果は、魔法を使うことのリスクと利害関係を生み出し、魔法が成功する数少ない機会を読者にとって受け入れやすいものにします。

7. 複数のマジックシステムを使うことで、あなたの魔法は使い道がさらに広がって多様になり、ハードとソフトの両方のシステムが使用できるようになります。ソフトマジックの大きな利点は、ハードマジックのように二、三のスタイルに限定されないことです。ソフトマジックのシステムは美学を重要視します。

注

＊1 しかし、明確にするために書いておきます。マーティンは「ターガリアンは火に対して免疫がない。（これは）デナーリスのドラゴンの誕生のことであり、独特で、魔術的で、ふしぎで、奇跡的なことだった」と述べています。

＊2 ヴァリリアの魔法はたしかに、第一巻の最後でデナーリスを燃えさかる薪の炎から守りましたが、これは通常の方法での対立の解決ではありません。デナーリスは心のどこかで自分の能力を信じつつも、愛する者とともに死にたいと願い、みずから進んで炎のなかへはいっていきました。デナーリスは、危険な状況から救われたいと望んだわけではないので、魔法で救われたわけではありません。むしろ、ヴァリリアの魔法が自由意志にもとづく行動を妨害したのです。登場人物が苦労せずにほしいものを手に入れることを許さなければ、安っぽく感じることはめったにありません。

第11章

マジックシステムとストーリーテリング

本章で扱う作品

『アバター　伝説の少年アン』
『レジェンド・オブ・コーラ』

さて、あなたのストーリーには、一〇歳の魔法使いだけが稲妻を放てるなど、細部までこだわり抜いたマジックシステムがあり、神秘と可能性を予感させる雰囲気もあるので、いつ悪魔がプロットという鎧で守られていない登場人物を喰らってしまうのか、だれにもわかりません。それはすばらしいことですが、つぎは何が訪れるのでしょう。興味を引くマジックシステムを使うということは、ルールの細かい差異をいかにつけるかや、どれだけ見せ場を作ることができるかについて考えるだけではありません。花火や火の玉もいいですが、マジックシステムが意味のある形でストーリーに組みこまれていなければ、空虚に感じられるでしょう。この章では、『アバター 伝説の少年アン』とその続編『レジェンド・オブ・コーラ』を取りあげて、マジックシステムがどんなふうにストーリーに組みこまれているのかを見ていきます。原作を手がけ、製作総指揮を務めたディマーティノとコニーツコのふたりがうまくやりとげたところと、いくつかの点で、そうではなかったところについても説明します。

『アバター 伝説の少年アン』を観たことがない皆さん（この本を購入したということは、その可能性はきわめて低いはずですが）に対して、拘束して目をこじあけて、全六一話を強制的に鑑賞させるべきか、すぐれたストーリテリングの恩恵にあずかれない未開の地へ追放すべきか、迷うところです。しかし、心やさしき最高君主として、そして本書の建前として、ごく一部の人たちへ向けて概要を説明しようと思います。このシリーズでは、古代ギリシャで提唱された世界の四元素——空気、水、土、火——のいずれかを操れる力、「曲げ」の技が存在し、主に武術を使ってその技が繰り出されます。

それでは、魔法をストーリーに組みこむことを説明するにあたり、ブランドン・サンダースンの「魔法の第三のルール」を紹介しましょう。そしてこれは、〈アバター〉シリーズが抜きん出ている点でもあります。

新しいものを加える前に、すでに持っているものを拡張すること。

サンダースンが指摘しているのは、魔法の概念をたったひとつ深く探求するストーリーは、複数を広く浅く探求するストーリーよりも興味深くなるということです。それでは、わたしたちの目的を「深く」探求するために、作家はどのようにマジックシステムを作品に織りこんでいるのか、これを三つのパート、世界観、物語、登場人物のアークに分けて見ていきましょう。

マジックシステムと世界観の構築

あなたが書くストーリーに読者を没入させるためには、その人の信念を一時停止させることがたいせつであり、世界観の構築はその重要な一部です。これは、物語の焦点ではないかもしれないけれども、考え抜いていることが感じとれる世界へと読者を誘いこむ要素をストーリーに加えるということです。たとえば、あなたのマジックシステムが、身寄りのない子供たちを殺してその魂を利用することに依存しているのなら、その社会の孤児院はどれだけひどい状態で運営されているでしょうか？（答えは「ものすごく」です）このような問いは、単に作者がおもしろい謎解きとしてもてあそんだり、読者が思考実験として熟考したりするためのものではなく、あなたが創造する世界のリアリズムを支える基盤となるものです。作家は、人間の社会や歴史から親近感の湧く要素を引き出して、それをリアリズムの土台に据えます。さらに、自然に生じるちがいを探求することで、ストーリーが単なるファンタジーではなく、魅力的なものになります。

アバター〔四つの曲げの技すべてを使える者〕やベンダー〔四つの曲げの技のいずれかを使える者〕が使う曲げの技が、みごとなマジックシステムである理由のひとつは、それがストーリーの世界観にしっかりと根ざしているからです。哲学から宗教、地理、戦争、文化に至るまで、曲げの技はこうした物事の役割を変化させます。気の技は、攻撃よりも回避に重点を置いた、中国の武術である八卦掌(はっけしょう)を利用しており、「俗世間とかけ離れた暮らしをし、平和と自由を手に入れた」気の民の達観した態度とうまく調和しています。万里の長城よりも長く、フーバーダムよりも厚く、エッフェル塔よりも高いバーシンセーの巨大な壁は、土を操作できるようになったことの当然の成りゆきのように感じられます。土や岩をベースにした防御要塞は、土の技を中心に展開する文化の特徴であり、瞬時に修復することも、さまざまな敵に立ち向かうために変化させることもできます。『レジェンド・オブ・コーラ』では、火のベンダーが発電所で働いています。鉱物を精製する効率を高めるために、ベンダーが雇われている光景も目にします。さらに興味深い世界観のディテールとして、火の技が、蒸気機関、戦車、飛行船などの産業革命を火の国にもたらしたことがあります。火の国の民が熱を操る力を幅広く持っていること、そのため蒸気動力をより簡単に作動させられること、火の国が火山の連なる島に位置し、鉱石が豊富に採取できることを考え合わせると、この発展は自然なことに思えます。

もし読者が、なぜ登場人物が「x」を実行するためにマジックシステムを使わなかったのだろうと疑問に思うのなら、そのストーリーの世界の住人たちもそう思うはずです。そうしなかった理由について納得のいく答えは、そうは簡単に思いつかないかもしれません。前述した世界観のディテールはどれもストーリーの最前線には出てきませんが、こうしたことが含まれていることで、曲げの技が世界へ与える影響を、脚本家たちがいかに詳細に考え抜いたかがわかります。問題解決に使われる小手先の技ではなく、魔法が世界に不可欠なもののように感じられます。社会や歴史からほかの要素も根本的に変えないかぎり、この世界から曲げの技を取り除くことはできないと信じるようになります。

しかし、世界観の構築は一方通行の道ではありません。作家が陥りやすい罠として、たとえば中世ヨーロッパふうの社会を基盤に、マジックシステムによってどのように社会規範——封建制、貴族階級と農民階級、教会の役割など、中世ヨーロッパふうファンタジーを構成する諸要素——が変化するのかを考えるというアプローチがあります。しかし、作家が思っている標準的な社会や規範を、マジックシステムがどう変えるのかを考えるだけではいけません。文化というものは、複雑な六車線の五差路交差点のようなもので、歩行者が行き交うこともあれば、ニワトリが道を横切ることもあります。重要なのは、あなたの世界が、魔法の役割自体にどんな影響をもたらすのかということです。もしあなたが書くファンタジーの文化に男女の役割について根強い慣習があるなら、女性はどんな魔法でも使うことが許されているでしょうか？　これはまさに〈アバター〉のストーリーで、カタラが北の水の部族で体験したことです。カタラはしきたりによって戦士として訓練を受けることを禁じられ、その代わりに、女性としての役割の一端として、治療を学ぶことを余儀なくされます。この問いは異なる文化だけではなく、宗教団体や社会階級、大学のクラブにもあてはまります。

人はそれぞれちがうにもかかわらず、だれもが同じように魔法を使う世界は、柔軟性に欠けるように感じます。魔法には、神秘的で非科学的という性質があることから、社会的、経済的、宗教的な考えに支えられた迷信を自然に招き入れます。しかし、これが行き過ぎる場合もあります。ふたつの文化集団を区別するのに、それぞれがマジックシステムとやりとりする方法ばかりに頼ってしまうと、柔軟性を欠いた世界構築になりかねません。読者は、なぜすべてが魔法を中心に展開するのかと疑問に思うことになります。作者として、また世界観を構築する者として、ふたつの問いを考えてみましょう。

1. マジックシステムは世界にどう影響するのか？
2. 世界はマジックシステムにどう影響するのか？

マジックシステムと物語

何よりも大事なのは、物語です。わたしは断定的な物言いをする人間ではありませんが、ひとつだけ選ぶとしたら、これです。ストーリーを構成する要素は、とらえどころのない「物語」の役に立つことも立たないこともあるので、創作や編集の過程で含まれたり除外されたりします。そのため、マジックシステムをストーリーに組みこむひとつの方法は、そのルール、ニュアンス、謎をプロットの出来事や物語のアークを導くために用いることです。[*1] マジックシステムは、作品の基礎となる一枚のコンクリート板に過ぎません。その上に何を構築するかは、完全にあなた次第です。

これは、世界観を構築する際の、特にこだわりの強い作者が陥りやすい、ある問題につながります。はっきり言っておきますが、世界構築の過程を楽しむことは、少なくとも書くことよりも楽しむことは、まったく悪いことではありません。作家としての唯一の義務は、自分が望むストーリーを好きなように書くことです。もし、ストーリーを書く第一の目的が世界観の構築なら、それでいいのです。それは、あなたの本がストーリーとしてすぐれた作品になるという意味ではありませんし、そのために苦しむかもしれませんが、まちがいではありません。

創作プロセスには、「べき」はないのです。ところが、特に自主出版の道を行く独立系の作家に見られる傾向ですが、独自の世界観を構築するだけでなく、すぐれたストーリーも書きたいと思い、マジックシステムを世界構築に組みこんで、ストーリーの背景や世界の仕組みに影響を与えていることが読者に伝われば――たとえば、魔法の能力の段階が階級制度を作り出している等――それでもうじゅうぶんだと考える人もいます。これはまったくの見当ちがいです。マジックシステムがストーリーそのものにどんな影響を与えるのかという問いは、まったくの別問題であり、まったく別の意味において重要です。世界観の構築は、リアリズムと興味をかき立てる差異を追求するもので、それに対して物語は、読者が味わう体験の本質を追求するものです。前者でマジックシステムを考慮して、後者で考慮しなければ、ストーリーは欠けたものになります。

その代わり、登場人物が経験する対立を魔法がどのように生み出すまたは変化させるのかを丁寧に探求すれば、読者の興味を引くことまちがいなしです。サンダースンはこれを、仮定の「もしこうだとしたら、どうなる？」形式の問いで説明しています。「魔法にかならず王家の血が必要だとしたら、王家はどうなる？」、「魔法の使い手が世界じゅうを自由にテレポートできるとしたら、国境はどうなる？」、「領主を打倒するために農民も魔法を使えるとしたら、階級制度はどうなる？」

それについてのとてもいい例が〈アバター〉にあります。それは、「人々がまわりにある元素を操作する技が使えるとしたら、刑務所はどうなる？」というものです。刑務所は一般的にモルタル、コンクリート、金属、石で造られています。エピソード「逃亡者」のなかで、カタラは狡猾な計画を立て、仲間のトフとともに牢獄へ収容されます。トフは土のベンダーであり、鉱物も操れるので、通常なら技を使って牢獄から抜け出すことができます。しかし、火の国の牢獄は木造建設で、トフは木に対して土の技を使うことはできません。カタラは脱出するために、まったく新しい画期的な方法でマジックシステムを使う必要があります。これについては、少しあとでくわしく説明します。『レジェンド・オブ・コーラ』第二シーズン第三部では、火のベンダーのプリーは、周囲の構造を破壊するような爆発を起こす能力があることから、並みの牢獄には収容されず、凍りついた洞窟に閉じこめられています。そこは氷山の奥深く、火花ひとつ発生させることができないほど冷えきった空間です。同様に、水のベンダーのミンホアは、水へアクセスできないように、乾燥した火山の牢獄に閉じこめられています。標準的な脱獄ストーリーが、マジックシステムの存在によって変化します。ここで使われている曲げの技というマジックシステムが、登場人物が直面する問題の中身も、その解決方法も変えるというわけです。

ある建築家が住宅の設計図を描いているところを想像してみてください。その家は木造の骨組み式で、すべての梁や垂木には役目があり、暴風雨から守ったり、設計上の新しい部屋を支えたりと、敷地全体に機能的なメリットをもたらしています。しかし、北向きの骨組みから、一本の木材が突き出ています。それはたしかに建築家が設計したものですが、機能的な実用性はなく、その目的がなんなのか、あるいはそれがどんな付加価値をもたらすのか、人々は疑問に思います。家の見た目がよくなるようにも思えません。このたとえ話は――想像がついているでしょうが――物語におけるマジックシステムの使い方を暗に示しています。基本的に、登場人物が出くわす困難やそれに立ち向かう方法を変えることなく、マジックシステムを取り除いたり何かと置き換えたりできるような気がするなら、それは物語から浮き立っていて、機能的あるいは美的な目的さえ果たしていないかもしれません。マジックシステムの仕組みから生じる課題を作り出せば、この問題を防げるだけではなく、ハードであれソフトであれ、マジックシステムの微妙な差異をつけることで、ほかのストーリーでは起こりえないユニークな課題を探求することができます。これは、あなたの作品を際立たせるという意味においても、すばらしく役に立ちます。独特で斬新な対立を軸にした物語は、単に独特で斬新なマジックシステムで世界観を構築するよりも、はるかに読者を夢中にさせます。一方から他方へ流れるように書くといいでしょう。

マジックシステムと範囲

「もしこうだとしたら、どうなる?」形式の問いを検討するときは、その範囲を念頭に置いておくことが重要です。サンダースンはこれを自身のことばで表現しました。

エピックファンタジーは歴史や経済に目を向ける余地があるが、それがないアーバンファンタジーは、代わりにある特定の要素――たとえば合成血液がヴァンパイアの文化にどのような影響を与えるか――に注目するといいかもしれない。

わたしはこれに全面的に同意するわけではありません。ストーリーは登場人物の視点から語られるものであり、その人物がエピックファンタジーのなかに存在しようが、ヤングアダルト小説のなかに存在しようが、その視点には限界があります。「もしこうだとしたら、どうなる?」という問いを定義するうえで重要なのは、抽象的なジャンルではなく、登場人物の周囲の環境や視点です。ヤングアダルト・ファンタジー小説に登場する徴税人は、エピックファンタジーに登場する農民よりもはるかに経済学に精通しているはずです。とはいえ、サンダースンが指摘することにも一理あります。登場人物が少なく、世界が狭く、本が短ければ短いほど、この問いの範囲は狭くなるでしょう。

マジックシステムと性格描写

マジックシステムをストーリーに組みこむもうひとつの方法は、キャラクターアークを利用することです。これはけっして、すぐれたストーリーの創作に必要ではないし、特定のタイプのファンタジーストーリーやマジックシステムにしかあてはまりませんが、実を言うと、おそろしくありふれた手法です！　うるわしい瞳と魔法の剣を携えた勇敢なヒーローが、怒りやプライド、あるいは性的欲求を克服するまで、力を完全に発揮できないケースに何度お目にかかったことでしょう。〈アバター〉におけるその最たる例が、ズーコ王子による、おそらくこのシリーズで最も信じがたいシーンです。第五一話「黒い太陽の日　その2　日食」からの抜粋を以下に示します。

オザイ［静かな声で］「恐らくな。いまにして思えば、追放など反逆に対する罰としては、あまりにも甘いものだった。［オザイは目を閉じる。場面は日食が終わりはじめる外へフェードする］そなたへの罰はもっと厳しいものになるであろう」

［日食の終わりを示すショット。オザイが目を開き、一瞬のうちに雷を発生させ、ズーコへ向かって雷を放つ。ズーコは衝撃で数メートルあとずさるが、雷の方向を変え、父親の目の前まで雷を打ち返すことに成功する。その結果、爆発によって火の王は後ろの壁へ激突し、床に倒れた姿勢のまま頭をあげる。その顔は雷撃の炎に包まれ、怒りに歪んでいる。背後の旗が倒れこみ、室内のショットへ切り替わると、ズーコの姿は消えている］

このシーンより前に、ズーコが雷を発生させたり方向を変えたりして操作できることは示されていません。第二シーズンのエピソード「厳しい修行」で、ズーコはつぎのように言われます。

アイロー「心の揺らぎを解決せぬかぎり、雷(いかづち)の技をマスターすることはできん。(中略)ズーコ、おのれの怒りを消したいのであれば、恥じる気持ちを捨てねばならぬ」

ストーリーの後半で、内なる悪魔と長いこと格闘してきたズーコは、虐待を受けてきた父親にこう言い放ちます。

ズーコ「あなたに愛され、受け入れられることだけが、わたしの望みだった。求めていたのは名誉なのに、実際はあなたの顔色だけ見てた。あなたはわたしの父親だ！ なのに、口をすべらせただけでわたしを追放した。[父親に刃を向ける] 父親なのに、一三歳のわたしをアグニカイであなた自身と対決させた。[オザイのショット。怒りの形相] 子供相手に決闘などよくもおこなえたものだ！(中略)われわれは世界に恐怖の時代をもたらした。このまま世界を破滅させたくなかったら、恐怖の時代を終わらせ [ズーコのショット] 平和とやさしさを取りもどさねば」

この台詞のなかで、ズーコは「心の揺らぎを解決」し、父に苦しめられた恥じる気持ちを捨て、自分自身のために新しい道を選択しました。ズーコのキャラクターアークがこの地点に到達することで、第二九話「厳しい修行」が暗示していたように、ズーコは火の王オザイに雷を返すことができるようになります。[*2] これについてのくわしい考察は、注をご覧ください。

マジックシステムを登場人物の成長と結びつけることで、登場人物が強くなり、困難を克服するうえで魔法が重要だということを強調し、キャラクターアークを重厚にすることができます。肉体的な力は精神的な成熟をともなうといった寓話的なアプローチは古くから存在します。アーサー王伝説のひとつである『聖杯の探求』では、人格と身体能力の両方において「ほかのすべての騎士を凌駕する」者以外、腰かけた者を燃やして灰にするという椅子が登場します。このアプローチでは、魔法の腕前は登場人物の成長にとって二の次となります。これは、登場人物が自分の力と自分自身について学ぶ『アバター 伝説の少年アン』のような成長物語では特に効果的です。それでも、注意は必要です。登場人物の変化が重大であればあるほど、あるいは力が大きければ大きいほど、事前に伏線を張っておく必要があります。

ただ、このアプローチを使うのに適さない場合があり、その理由をつぎに述べます。

1. この設定は、主人公がストーリーの書き出しからすでに確立された力を持っている場合や、主人公が使う魔法が人間としての歩みとかならずしも同じ道をたどることを望まない場合は、あまりうまく機能しません。〈X-MEN〉のジーン・グレイのストーリーは、その逆転の発想がみごとです。ジーンは心やさしい性格ですが、自身が持つ巨大なダークサイドの力を恐れています。

2. このような設定にすると、マジックシステムの仕組みがソフト寄りになります。登場人物の力を決定するうえで、その変化が数値化しにくくなるのが理由です。ほかの人が同じように行動しても「x」を実行できないにもかかわらず、その人物が単に道徳的だったり啓示を受けたりしただけで、実行する力が身につく瞬間を引き起こすことが多くなります。主観的な要素ははるかに強力で、作者が注意を払わないと、マジックシステムに対する外部ルールはあとまわしになるでしょう。きわめてハード寄りで、予測可能なマジックシステムを望む場合は、この方法はおすすめしません。

曲げの技についてのマジックシステムの仕組み

たいていのマジックシステムがそうであるように、曲げの技は、ハードからソフトまでのあいだのどこかの段階でバランスをとっており、若干ハード寄りです。これを前章での議論と比較してみましょう。サンダースンの第一のルールを再掲します。

魔法を使って対立を解決する作者の手腕は、その魔法に対する読者の理解度に正比例する。

シリーズを通して、曲げの技はしばしば問題解決に使われますが、それがうまくいく理由は、予測可能性と一貫性、このふたつがあるからです。脚本家たちはそれを心得ていたので、登場人物たちはプロットの要求に応じて、極端に一貫性のない量の元素を操作したり技を繰り出したりできません。視聴者は、アバター一行の各メンバーが困難に直面したときにどんな力を使えるのか、おおよそは理解しています。登場人物の力が矛盾すれば、読者は、「なぜ「x」を実行しないのだろう。以前はできたのに」と疑問に思います。

重要なのは、登場人物が持っていることがわかっているスキルを問題解決のために使わない場合、明確な理由を示すことです。たとえば、カタラは道徳的な理由から、血液を操ることを拒否します。こうした理由は、かならずしも完璧に論理的だったり合理的だったりする必要はありません。人間は完璧に論理的でも合理的でもありませんから。迷信、個人的な道徳観、恐れ、不安、もしくは単にある力が好きだからたくさん使うという理由でもかまいません。

また、〈アバター〉はサンダースンの第二のルールにもかなり忠実です。

限界は、力そのものよりも重要である。

第一話から、曲げの技のマジックシステムにはいくつもの限界があることがわかっています。

a. アバターでないかぎり、操作できるのはひとつの元素のみ。
b. 火の技を使わないかぎり、薄い大気から元素を引き出すことはできない。
c. ベンダーの能力は、テクニックと訓練によって制限される。

しかし、この作品の大きな特徴は、水の技にとっての血液、土の技にとっての金属、火の技にとっての雷といった具合に、元素の境界を問うことです。これらは登場人物にとってストーリー上の問題を解決する重要な力となりますが、「魔法使いが解決しました」という感じはしません。というのも、脚本家たちがゆっくり時間をかけて、境界が押し広げられる可能性があることを示したからです。第一話「氷に閉じ込められた少年」では、水の技の使い手は、水の延長として氷も操作できることがわかります。第六話「捕らわれの身」では、土のベンダーは、土の延長として石炭を操作できることがわかり、第二四話「不思議な沼地」では、水のベンダーの技が植物にもおよぶことがわかります。自分が操作できる元素の境界線を押し広げる方法を登場人物たちが見つけ出すと同時に、視聴者の理解も深まります。だから、第三シーズン第四七話「逃亡者」に到達するまでには、水のベンダーが汗を操作しても理にかなっていると思えるわけです。

アバター　最後にひとこと

わたしは、『アバター　伝説の少年アン』と『レジェンド・オブ・コーラ』の両方を、心から、魂から、チャクラから愛していますが、マジックシステムがつねに正しく理解されていたとは思えない点があります。その最たる例が、『レジェンド・オブ・コーラ』第一シーズン第二部（第二六話）で登場した、精神やエネルギーを操る技です。ストーリーのクライマックスで、アバターの光の精霊ラーヴァを引き抜かれたコーラは、闇の精霊ヴァートゥと融合してダーク・アバターとなったウナラクを止める力がないと悟ります。そして気の技の師匠テンジンがコーラを時間の樹へ連れていき、そこでさまざまなことが起こります。そのときのやりとりを見てみましょう。

テンジン「自分が何者か考えずに、内なる魂とつながるのだ」
コーラ「わたしの話を聞いてた？　ラーヴァとともに、魂とのつながりも消えた」
テンジン「ラーヴァが消えてもおまえはまだここにいる」
（中略）
テンジン「時間の樹は覚えている。おまえの強さはラーヴァから得たものではない。おまえ自身が持っていた。

何も恐れず、屈しない強さがある」
コーラ「アバター・ワン」
テンジン「ラーヴァと融合する前は、ふつうの人間だった」
コーラ「でもワンはもとから勇敢で賢くて、弱者を助けてた」
テンジン「そのとおり。もとから英雄の素質を持っていたのだ。ラーヴァは関係ない。おまえも同じだ」
コーラ「共和城の人たちが危ない」
テンジン「助けなさい」
コーラ「どうやって？　地球の裏側よ」
テンジン「先祖のように。宇宙のエネルギーとつながるのだ。自身の内なるエネルギーを動かせ」

第一に、このシーンは、伝承をめぐってものすごくおかしなことをしているので、それでがっかりしてしまうのですが、ここではふれないでおきます。第二に、強力な幽体離脱や新手のエネルギーを操る技など、コーラが解き放つ新しい能力を登場人物の成長に結びつけるのは、単純にうまくありません。「勇敢で賢くて、弱者を助け」られるようになりたいという葛藤は、この第二部でコーラが探求していた葛藤ではありません。[*3] コーラは明らかに勇敢で賢く、弱者を助けたいという動機を持っています。おそらくその葛藤は、ラーヴァなしの自分を受け入れることなのでしょう。しかし、これもほとんど意味を成しません。コーラはラーヴァの正体を知ったばかりであり、ラーヴァは第二部におけるコーラのキャラクターアークの焦点ではありません。それまでのコーラは、アバターとして自分自身を定義してきたわけですから。

第三に、つい一時間ほど前にあれほど痛烈な悲劇に見舞われたはずなのに、たった一度励まされただけで、それを受け入れ、幻想的な新しい力を手に入れたコーラの変化は、安っぽくて労せず報われた感じがします。それまで、コーラがこれをめざして成長してきたわけでもありません。この葛藤は基本的に第二部の最終回で導入され、最終回で解決されます。つまり、登場人物のこの個人的な葛藤を解決することと、プロット内の葛藤との関連性は、弱いと言わざるをえません。

第四に、宇宙のエネルギーとつながり、自身の内なるエネルギーを動かせというテンジンの最後の台詞は、『アバター　伝説の少年アン』の最終話で見たエネルギーを操る技を連想させます。エネルギーの技は、技の力を与えたり奪ったりする能力をアンに与えましたが、それ以上のものではありませんでした（完全には言い切れませんが）。謎めいた力ではありますが、『レジェンド・オブ・コーラ』のこのシーンでつぎに何が起こるのか、このシリーズに前例はありません。視聴者には、こんな疑問が残ります。なぜコーラは巨大化した？　幽体離脱しているのに、なぜコーラは物にふれることができる？　コーラは曲げの技を使って……こんなことをするの？　どういうこと？　言い換えると、このマジックシステムには予測可能性や一貫性がなく、プロットを解決するときに「魔法使いが解決した」ように感じられるわけです。

第五に、このシーンは、まだ観ていない人はご存知ないでしょうが、コーラが自分自身の巨像へ向かって狭い橋を歩いていくようすが描写されます。それは『アバター　伝説の少年アン』第二シーズンのイメージを想起させるものです。しかし、これも思い出すものとして取りあげるには一貫性がなく、マジックシステムにおいても違和感のあるシーンです。オリジナルシリーズにおけるこのイメージのメタファーは、悟りを得てアバターの状態を完全に掌握することであり、自分の「内なる精神」とつながることではありませんでした。これは、『アバター　伝説の少年アン』でわたしたちが見たものと正反対だと言ってもいいでしょう。コーラがアバターの魂なしで自分らしくあれと学んだのに対し、アンはアバターとしての役割を完全に受け入れます。このシーンはすでに確立されたものと一貫性がなく、視聴者は、コーラがプロットが要求するどんな力でも持つことができるように感じてしまいます。

根本的に、このような力には、満足のいく結末に必要な、確実性、予測可能性、一貫性をもたらす限界、代価、弱点がありません。テンジンが登場するこのシーンは、このあとの展開を正当化するためのもので、スピリチュアルな専門用語を交えてたくさん話していますが、視聴者にとってはなんの意味もありません。二秒以上ながめていると、マジバブルとしか思えません。コンピュータに関係ないことにまでやたらと専門用語を使うことをテクノバブルと言いますが、マジバブルはその魔法バージョンです。ふつうに通用するような用語や概念も使っていますが、この作品の世界においてはなんの意味もありません。

しかし、第二部最終回における最大の問題は、実はこのどれでもありません。これまであげたことは、予測不能でまずい出来栄えのソフトマジックの例ではありますが、テンジンの話とそれにつづく多くのことは、ダーク・アバターを阻止するという、ストーリーの一次対立を実際に解決するものではありません。単に、その後の戦いを円滑にするだけであり、ソフトマジックにその役割を負わせること自体は問題ではありません。

コーラは共和城へテレポートし、ダーク・アバターとの最終決戦を開始します。そしてコーラが敗北しそうになったそのとき、驚くなかれ、天から救世主が「魔法使いが解決します」と叫びながら降臨します――つまり、すべて失ったと思ったそのとき、ジノラが突然現れ、コーラにふたたびラーヴァを見つける方法を伝えます。なぜジノラはこんなことができるのでしょう。テンジンの娘であるジノラには、たしかに漠然としたスピリチュアルな力があり、コーラの精神的な指導者だということは確立しています。しかし、ジノラの力の限界はほとんど特定されていませんし、そんなことができるという兆候もまるでありませんでした。この力は、第二部に登場するほかのだれよりも超越しているし、ジノラ自身の力も超えています。光の精霊ラーヴァが闇の精霊ヴァートゥのなかで成長することは、以前に明かされているので、まったくの予想外ではありませんが、ジノラとコーラのつながりは物語的には薄弱です。物語のなかで魔法を使って重要な問題を解決する作者の手腕は、その魔法に対する読者の理解度に比例しますが、ジノラの力には事実上、代価、限界、予測可能性、一貫性がありません。

まとめ

1. マジックシステムは単独で存在することはできません。世界構築、物語、登場人物とどうやって連携させることができるのかを考えましょう。
2. もしマジックシステムを取り除いても世界観が変わらないのであれば、その重要性をじゅうぶんに深く考えていない可能性があります。世界構築は多方通行の道です。マジックシステムが、政治、歴史、地理、文化にどう影響するのかだけではなく、それらがマジックシステムにどう影響するのかも考慮する必要があります。
3. 登場人物が経験する対立を、魔法がどのように生み出したり変化させたりするのかを丁寧に探求すれば、読者の興味を引くことまちがいなしです。マジックシステムは、あなたのストーリーに固有の対立の源であり、作者であるあなたはそれを利用することができます。
4. マジックシステムを登場人物の成長に結びつけることで、登場人物がより強くなり、困難を克服するうえで魔法が重要だということを強調し、キャラクターアークを重厚にすることができます。このアプローチでは、魔法の腕前は登場人物の成長にとって二の次となります。重要なのは、登場人物の変化が重大であればあるほど、あるいは力が大きければ大きいほど、事前に伏線を張っておく必要があるということです、さもなければ、安っぽく、労せず得たものに感じられる危険性があります。しかし、完全なハードマジックシステムを望む場合や、登場人物の力がキャラクターアークと同じ道を歩むことを望まない場合は、この設定はおすすめしません。

5. マジバブルとは、登場人物が多くを語るものの、ほとんど意味を成さないことであり、特に作者が自分の首を絞めているような、まずい箇所に覆いをかけてごまかそうとするときに用いられます。

注

＊1 プロット、物語、ストーリーを三つの異なる概念とするには、議論の余地があるのはたしかです。しかし、そのちがいを注で説明しようとしても無駄だという意味においては、これらは異なる概念です。

＊2 この点に関してわたしが受けた最も一般的な批判のひとつは、ズーコは雷を返すことは問題なくできるが、雷を発生させることだけに苦労していた、というものです。これは、このふたつの重要なエピソードにおける、ひとつの解釈ではありますが、わたしは同意しかねます。この場面以前にズーコが雷を返すことができたかどうか、わたしたちは一度も見ていないし、ズーコが試みたとしても、できたとは思えません。ズーコのキャラクターアークである、恥の気持ちを捨てて父親と向き合うことと、雷を使いこなすことの関連性は、偶然と片づけるには、脚本家たちによってあまりにも明確に提示されています。それでも、こんな可能性も考えられます。脚本家たちは当初、「厳しい修行」の脚本を厳密に解釈して、「日食」のエピソードでズーコに雷を発生させるつもりだったのですが、そのエピソードに至ったときに、日食で無力になっている父親をズーコに攻撃させる論理的な方法が見つからず、そのため、雷を返すことで代用したのではないか、というものです。結局のところ、雷を返すという技は、ほかの国から学ぶことに依存したものであり、自分自身の理解に全面的に依存するものではありません。ズーコがこれを実行するのは、チーム・アバターへの参加を決めたときだけです。脚本家が、ズーコのキャラクターアークと雷を返す力を結びつけなかったのは、アイローの台詞が、中身のない無益で無意味なただの決まり文句だったからなのか（コミックではズーコはまだ雷を発生させていません）、あるいは、アイローが語った内なる緊張を解消したあと、ズーコはたまたま雷を発生させようとしなかったからなのでしょうか。どちらの可能性も考えにくいです。「厳しい修行」でズーコのキャラクターアークのポイントを設定し、「日食」でそれを解消するという解釈のほうが、はるかに首尾一貫しているし、物語的にも興味深くなります。

＊3 これはたしかに、第一部で探求されてはいましたが、『コーラ』のストーリーテリングは第一部から第四部までそれぞれ独立しているため、過去のキャラクターアークを引き合いに出すことは、よいストーリーテリングとは言えません。

第12章

複数の神を登場させる

本章で扱う作品

〈氷と炎の歌〉シリーズ
『アバター　伝説の少年アン』
『アメリカン・ゴッズ』
〈オリンポスの神々と7人の英雄〉シリーズ
『鋼の錬金術師』
ほか

ファンタジーというジャンルでは、決まって実に複雑で興味深い信仰が登場します。そこでこの章では、複数の神が存在する多神教について考えていきます。多神教の例としては、西洋ではギリシャ神話や北欧神話、東洋では日本の神道やインドのヒンドゥー教などがあります。ただし、信仰とその傾向、歴史における位置づけについては、この本の記述はあくまでも一般論として扱ってください。各章は、YouTube用に書いた原稿を手直ししたものであり、中立で事実に忠実であるよう努めたとはいえ、簡潔を期するために割愛した部分もあり、すべてのトピックに対して正当に扱っているとは言えません。宗教の世界観を構築するにあたっては、あなた自身がさまざまな文献にあたるようお願いします。複雑なテーマですので、一二のポイントに分けて考えていきましょう。

1. 宗教的信念
2. さまざまな宗教的信念
3. 多神教はどのように広まるか
4. 宗教と文化のかかわり合い
5. 多神教とマジックシステム
6. 宗教と政治のかかわり合い
7. 宗教と経済のかかわり合い

8. 新しい神話を作り出す
9. 宗教上の約束事と類型
10. 人間の上に立つものか、異世界にいるものか
11. 登場人物の人格形成
12. 神々の存在とは

宗教的信念

宗教の世界観を構築する場合、その宗教には固有の信念が必要であることは、言うまでもありません。そして、宗教哲学を考え出すときに、さらに重要なのは、宗教とは複雑なものだということです。すべての宗教には固有の信念、価値観、哲学があります。わたしが宗教の世界観構築のために読んだ資料のほとんどは、宗教はつぎの三つの問いに答えるべきだとしています。

a. 世界はどのようにはじまったのか。
b. 他者とどのようにかかわったらよいのか。
c. 死後はどうなるのか。

キリスト教では、神が天と地をもたらし、他者には自分がしてほしいように接するべきであり、死後は天国か地獄のどちらかへ行くことになっています。とはいえ、前述の三つの問いは、宗教の世界観を構築するための必

要条件ではありませんし、単純化しすぎていますし、ヨーロッパ中心主義と言うべき考え方です。ジョージ・R・R・マーティンの〈氷と炎の歌〉シリーズでは、〈数多の顔をもつ神〉を信仰する者たちは、死は呪いではなく慈悲であるという原理を信じていますが、世界がどのように創造されたのか、わたしたちがどのようにかかわり合うべきなのか、そして死後はどこへ行くのかについてはほとんど語られていません。それでも宗教として興味深いものになっています。

現実の世界での多くの宗教が三つの問いに焦点をあてているのは事実ですが、あなたが描く宗教が、三つすべて、あるいはいずれかに答えなくてはならないわけではありません。ひとつの問いだけに焦点をあてることもできますし、まったく別の考え方に焦点をあてることもできます。宗教とはこの三つの問いに限定されるものではありません。三つの問いに限定してしまうと、既存の宗教から切り貼りして用紙の空欄を埋めているかのようになるおそれがあります。

さまざまな宗教的信念

三つの問いに答えるかどうかにかかわらず、ある宗教の信者すべてが、その信念について意見の一致を見る可能性は高くありません——これこそ世界観の構築において重要なことです。これには、聖典の解釈、ある預言者を受け入れるかどうか、宗派による価値観のちがい、といったさまざまな理由が考えられます。たとえ神々が降臨してその意味を説明したとしても、全員が同じメッセージを受け取る可能性などありません。

多神教の性質上、それぞれの神が異なる原理、価値観、思想を持つのは当然であるため、その価値観に賛同できる神を信奉する者に宗派が分かれることになります。〈ドラゴンランス〉シリーズでは、マジェーレは信仰と瞑想を、キリ＝ジョリスは勇気と英雄的精神を司る善の神です。単一の宗教機関、単一の宗教的権威、単一の宗教団体は存在しません。マジェーレには僧侶や司祭を中心とした少数の信者が、キリ＝ジョリスには戦士を中心とした大勢の信者がいます。宗教と経済を結びつける世界観が見られ、作品の舞台であるアンサロン大陸はしばしば戦乱に巻きこまれています。多くの人々が兵役に就いているということは、戦士たちの神が大きな支配力を持つことを意味します。けれども、同じ宗派のなかでも、神について異なる解釈が存在しないとは言い切れません。

あなたが描く社会が何に価値を置くかによって、特に重要な存在とされる神がいるはずですし、それによって、その宗派が持つ政治的権力、文化的資本、金融上の影響力が決まってきます。さらには宗派の伝統や慣習が社会にどれだけ根づいているかにもかかわります。

ある社会が特定のもの、ひいては特定の神をほかより重視するのはなぜでしょうか。多くの場合、これは知恵や勇気といった社会が道徳的な価値を置くものに単純化されます。スパルタ人のような、戦士が社会体制の一部である世界を描く場合は特にそうです。けれども、歴史的に見ても、実際にはもっと複雑です。『アバター　伝説の少年アン』を例にとって考えていきましょう。

民間信仰

民間信仰は、多くの場合、その地域での生活を左右するものと関係します。『アバター　伝説の少年アン』の第四三話「紅小町」に登場する小さな村では、川での漁業に生活のすべてがかかっているため、川の精霊である「紅小町」を、何よりも崇めています。エジプトは大部分が乾燥した不毛の地域であるため、古代エジプトでは、人々はナイル川の神ハピを崇めていました。毎年の氾濫によって大地に水が供給され、肥沃な農地となるからです。壮大で抽象的な道徳観や、名誉、勇気、共同体といった社会としての美徳に焦点を当てがちですが、平凡な農民にとっては、家族を養えるかどうかのほうがたいせつです。そのために、名誉の神へ捧げものをするよりも、森の神へ捧げものをするほうがご利益を期待できるとしたら、当然そうするはずです。人々が現実に必要としていることと強く結びついている神は、その宗教観念を時の権力者たちも利用しようとします。このようにして、その社会で尊ばれる神が決まっていきます。

経済

古代中国の神話では、養蚕業の神である蚕神への信仰が盛んになりました。国家の繁栄には貴重な収入をもたらす絹の取引が不可欠だったため、蚕は神聖なものと見なされたのです。

文化

『アバター　伝説の少年アン』で、水の部族は、水の技を授けてくれた月と海の精霊を敬っています。この精霊たちは、調和、陰陽、協力という、水の部族の宗教理念において重要な価値観を体現しています。さまざまな場面で、水の部族にとって共同体が何よりも重要であることが描かれ、この精霊たちがそれを象徴しているのがよくわかります。

それぞれの集団が神々をどのように解釈しているかを示すことによって、多様な神々の存在があり、多様な文化があることを同時に表現することができます。神話のなかではさほど目立つことがなかったとしても、経済、政治、地域での理由から、ある社会で特定の神々が尊重され、崇拝されます。厳密には位が高い神であっても、別の神のほうが人々にとって重要な場合もあります。宗教が社会を形づくるように、社会も宗教のあり方にかかわっていきます。

　宗教の世界を構築するとき、信仰にはどの程度の多様性があるほうがいいでしょうか。三つの要素から考えてみましょう。

a．領土
b．信者の数
c．宗教の経年数

　領土が狭いほど、多様性は低くなります。狭い地域で異なる解釈が生まれることは考えられないからです。キリスト教の教派が地域ごとに分散しているのはこのためです。プロテスタントが北欧を、カトリックは南欧を、東方正教は東欧を、それぞれしっかりと掌握しています。同様に、信者の数が少ないほど、中心となる教義や価値観について、すべての信者のあいだで合意を見る可能性も高くなります。説得する相手が少なく、賛同する追随者がほとんどいないのであれば、分裂は起こりにくくなります。

　宗教の歴史が浅ければ、反発を受けて進化する時間などなかっただろうと思うかもしれませんが、事実に反する要素もあります。宗教とは、多くの不確実性をかかえてはじまり、創設時にはっきりと宣言されていないことを解明していくものであり、完全な形にはなっていないと言えます。初期のキリスト教には教義をまとめたものとしての聖書はなく、確固とした組織構造を持つ中央の機関もありませんでした。あなたが描く新しい宗教が、「汝の隣人を愛せよ」というようなはっきりとした価値観を持っているのであれば、中央機関をどのように組織するのか、その機関はどのような権限や解釈、霊的資質を持っているか考えましょう。歴史が長い宗教には、こうしたことを考え出す時間が長くあります。これからもその歴史がつづくとはかぎりませんが、その可能性は高いものです。

多神教はどのように広まるか

多神教の多くは広まらず、信仰や実践について書かれた記録もほとんどありません。このため、「どのように」広まったかについての一般論をまとめることは困難です。これは、あなたの宗教が広まる必要があるという意味ではありません。少なくとも「福音を広める」ようなやり方が必要なわけではありません。布教活動は宗教においては比較的新しいものであり、実際に根づいたのはユダヤ教・キリスト教のみです。けれども、いまユダヤ教・キリスト教が全世界に広まっているからといって、宗教がどのように広まっていくかを見るとき、ユダヤ教・キリスト教の視点から見るべきだと思うのは誤りです。ほとんどの多神教は、信仰するにあたってほかの宗教から改宗する必要はなく、改宗することを道徳的な行為と見なしていませんでした。自分たちが信じる宗教こそ真実であり、他の宗教は偽物だと考えたのかもしれませんが、人々に対して自分たちの宗教を広めるよう定めてはいませんでした。むしろ、宗教を受け入れることは、その社会に溶け込むための条件と言えるものでした。

とはいえ、布教にさほど頼らなくても、多神教は実際に広がっていきました。わかりやすい例が、ローマ神話の戦いの神、クゥイリニーウスです。クゥイリニーウスはもともと、ローマに戦いで敗れた隣国サビニ人の神でした。サビニがローマ共和国に併合されると、クゥイリニーウス信仰は初期ローマ神話の一部となり、ローマ建国者のひとりであるロームルスが神格化された姿となりました。

ある民族を併合した場合、その神々や信仰を拒絶することなく、多神教に統合し、その神々の新たな居場所とすることで、併合が円滑に進みます。すでに多くの神々が存在する場合、特にその数が時代とともに変化してきた場合、その宗教の信者にとっては、新たな神々が加わっても違和感を覚えないはずです。比較的、神々の数が少ない場合は、信者はいまいる神々が受け入れられるすべてだと感じ、新しい神が加わることに抵抗を示すかもしれません。

宗教と文化のかかわり合い

情報の詰めこみすぎにならないように世界観を表現するのは非常にむずかしいことですが、すぐれた方法として考えられるのが、ごくふつうの人々のごくふつうの日常——それが文化というものです——への影響を描くことです。たとえば、だれかがくしゃみをしたときに英語では「ブレス・ユー（神の祝福を）」と言いますが、これは過去の宗教的慣習の名残であり、現在ではことばどおりの意味はほとんどありません。

ブランドン・サンダースンの〈王たちの道〉シリーズでは、全能の神をあがめる「ヴォリン教」の教義が人々に深く根づいています。ヴォリン教では男女の役割がはっきりと分かれており、男たちは指導者や戦士に、女たちは学者や芸術家になります。読み書きをするのは女たちの仕事です。このため、学界は女たちが支配しています。歴史、数学、科学を学ぶのは女たちであり、このことは、社会における政治的な力関係に大きく影響しています。女性は技術者であり、政治顧問であり、社会の革新者であり、裕福な地位を占めることを許されています。その一方で、ヴォリン教は慎み深さを重んじます。女性は「安全手（セイフハンド）」である左手を手袋などで隠すことを求められ、女性の手袋のなかを覗くことは社会的儀礼に反します。さらに、一般市民は自分たちの宗教の微妙な意味合い——ラテン語と多くの宗教上の祭礼——を理解できませんが、話し方や身のこなし、朝の儀式など、日常生活に影響を与える観念は、ヴォリン教の教えのなかでも最も深く浸透していることが見てとれます。

多神教に関して言えば、それぞれの神の信奉者が日常的にどのように影響を受けるかを見るのは興味深いことです。多神教が人間の日常生活でどのような役割を果たすかは、多くの場合、その宗教の費用対効果分析と結びついています。何をあきらめ、何を手にするのか――それは永遠の命かもしれませんし、愛する我が子を差し出さなければいけないかもしれません。宗教は、ふつうの人間がたいせつにしているもの、手放してもいいと思うもの、何かを成しとげるために信じつづけたいものに深くかかわっていきます。それがなんであるかは、社会、地域、時代によって異なります。

多神教とマジックシステム

ファンタジーの世界の多くにはマジックシステムが存在し、多神教と結びつけることも盛んにおこなわれています（〈氷と炎の歌〉シリーズは、神々は存在しないかもしれませんが、神々が魔法を導いているように見える世界です）。もし神々がまちがいなく存在し、人間と交流しているのであれば、デイヴィッド・エディングスの〈エレニア記〉シリーズのように、魔法は神々自身からもたらされる神聖なものです。多神教でよくあるのは、神々が能力を分担し、生を司る神、死を司る神、火や自然を司る神がいることです。ある神の霊媒者となること、あるいは、その神を崇拝することで、ある種の魔法が使えるようになります。多神教と結びつけば、第9章から第11章で論じた限界、代価、弱点を利用するさまざまな魔法の使い方が考えられます。神の力を使うことで、その神の弱点を目の当たりにするかもしれませんし、人が持ちうる力の大きさを神自身が制限するかもしれません。あるいは、その神から魔法を手に入れるための駆け引きをする必要があるかもしれません。ドラマ『スーパーナチュラル』

で魂を手に入れようとするのと同様です。神々が世界の魔法を支配しているなら、それは神々の決断と気まぐれに左右されます。神々が気分屋だとしたら、魔法を一貫性があるものとして信頼することはできません。生贄とのつながりも考えられます。神による魔法は、作者にとって無限の可能性を秘めています。

宗教と政治のかかわり合い

宗教と政治は長きにわたって複雑な関係にありますが、ここでは、多神教の世界観を構築する際に関係するふたつの要因を見ていきましょう。第一に、宗教は、天命を受けて天下を支配する中国皇帝のような政治的権威を正当化するために利用されてきました。第二に、宗教は政治的権威と対立してきました。一〇七七年に起こった「叙任権闘争」では、教皇グレゴリウス七世と神聖ローマ皇帝ハインリヒ四世が聖職者の任命権をめぐって真っ向から対立しました。キリスト教世界からの追放を言い渡された皇帝ハインリヒ四世は、ローマ教皇が滞在する城へ向かい、雪のなかを三日間にわたって裸足で立ち、教皇に赦しを求めました。「カノッサの屈辱」と呼ばれる有名な事件です。

これとは対照的に、多神教社会での政治的権威は、一神教の場合ほど宗教に頼って政治的権力を行使することがなく、宗教からの反発を受けることもありません。多神教では宗教的権力を分散する傾向があります。[*1] 人々が宗派に分かれて、自分たちが選んだ神にほかの神々よりも重きを置くからです。政治的権力者は、王であれ皇帝であれ、その権力を国土全体に広げています。一神教は多神教よりも珍しいのですが、歴史的に見て、多くの場合、その土地の政治権力に挑戦するのに必要な支持、資金、広範な地形にまたがる組織を集めることができる単一の宗派、または複数の宗派の連合という形になります。このため、キリスト教、イスラム教、ユダヤ教、ゾロアスター教がそうであったように、宗教的権力が世俗的権力を正当化することで、ふたつの権力の間に一定の結束が築かれます。

これとは対照的に、多神教の小さな宗派は、それぞれが独自のヒエラルキーを持ち、政治権力に対抗するために必要な支持や資金、広範な地形にまたがる組織を獲得する可能性は低くなります。集権化した力を持つことが少ないからです。これについての例外は注を参照してください。その代わり、小さな地域や都市に対して影響力を行使する傾向があるのは、宗教内の派閥です。たとえば、アテネとスパルタはともにギリシャの神々すべてを認めていましたが、アテネが女神アテナを崇めて知恵を重視したのに対し、スパルタはアポロンとアルテミスを崇め、狩猟、詩、弓術を重視しました。[*2]

宗教と経済のかかわり合い

ジョージ・R・R・マーティンの〈氷と炎の歌〉シリーズでは、七神正教が社会保障の役割を果たしていると言えます。経済構造でのこうした役割を通して、七神正教が貧しい人々に心を配っていること、謙虚さを重んじ、浪費をいましめていること、正義への強い信念を持っていることを読者は理解します。

多神教では、特定の価値観や神を重視する宗派に信奉者が分かれます。異なるすべての神々とその哲学の世界観を構築するひとつの方法は、経済構造においてそれぞれの宗派がどのような役割を果たすかを示すことです。戦士の神を信奉する宗派は地元の民兵を率いて町を守り、裁きの神を信奉する宗派はその土地の法廷を取り仕切り、商業を司る神を信奉する宗派はお金を必要とする人に融資します。〈氷と炎の歌〉の七神正教は厳密に言えば一神教であり、「厳父」、「慈母」、「乙女」、「老媼（ろうう）」、「戦士」、「鍛冶」、「異客（まれびと）」という七つの側面を持つ神を崇拝していますが、それぞれの側面が社会でさまざまな役割を果たしています。軍事組織である「戦士の子ら」は信仰とその信者を守り、「異客」に仕える女性の組織「沈黙の修道女」は、死者の世話をし、葬儀をおこないます。多神教の宗派に社会と経済構造におけるさまざまな役割を与えることで、それぞれの神を取り巻くさまざまな価値観や信念を説明の必要なしに表現することができます。簡単に言うと、これは「語るな、見せろ」という執筆術の鉄則に従っていることになります。

新しい神話を作り出す

全知全能の神ゼウスが落ちぶれて肥え太り、人々からじゅうぶんな捧げものを受けられずに消耗していったとしたら、どうなるでしょう。近年、このように神々が信者の崇拝、祈り、献身から力を得て、それによって強くも弱くもなる、といった新しいパターンの神話が書かれています。[*3] この典型的な例が、ニール・ゲイマンの傑作小説『アメリカン・ゴッズ』です。世界じゅうからアメリカに移民としてやってきた人々とともに、各国から神々も連れてこられたのですが、オーディンやロキのような古い神々は信者を失って細々と暮らしており、インターネットの神のような現代の神々が力を得ています。こういった発想は、一神教ではあまり見られません。一神教には全知全能であらゆる場所に同時に存在する神のような存在があるからです。唯一の神なのですから、弱体化させることなどできないのです。

多神教に焦点をあてた物語では、このような設定によって対立が起こることがよくあります。テリー・プラチェットのパロディ小説『異端審問』では、神々は生存競争のなかで、ほかの神々を弱体化させ、自分たちが生き残って力を盛り返すために、人々の信仰を集めようとします。裏を返せば、もし人々が自分たちの神が死につつあることを恐れるのであれば、より多くの信者、より多くの犠牲、より多くの崇拝を得る方法を自然に考えるのではないでしょうか？　戦いの神の生きる道が暴力のみである場合、これは大きな問題となります。神々の生死が信者からの崇拝にかかっているのであれば、そのことが異なる神々を重んじる異なる宗派との相互関係にどう影響するか、作者は考える必要があります。

新しい神話では、神々と信者たちはときに相互に影響し合います。神々は信仰によって生きるだけでなく、信者が神々について何を信じるかによって変化していくのです。リック・リオーダンの〈オリンポスの神々と7人の英雄〉シリーズでは、神々のあるべき姿について相反する信念を持つふたつのグループが対立します。これが神々の怒りにふれて、仲裁ができなくなり、登場人物たちを巻きこんでいきます（個人的には、このシリーズの結末はまったく納得できません）。

宗教上の約束事と類型

世界観を構築する際には、フィクションの世界に現実感をもたらすために、わたしたちの世界で見聞きしているものを自然と参考にするものです。このため、なじみのあるギリシャ神話、ローマ神話、北欧神話のような多神教に見られる構造モデルにとらわれやすくなります。ほかの多神教の構造が、記録が少ないためにほとんど知られていないことも一因です。なじみのある多神教を定義する約束事は数多くありますが、特に知られているのはつぎの三つです。

a．世代神話にもとづいている。

b．神々は、夫、妻、息子や娘などがいる家族を持っている。
c．神々は、非常に人間的な行動をとる傾向がある。

これにあてはまるのは、日本の神道、北欧神話、ヒッタイト神話（現在のトルコを中心とした地域にかつて帝国を築いた古代民族ヒッタイト人の宗教的信念。「千の神々」と呼ばれるさまざまな神を崇拝していた）、ギリシャ神話、アステカ神話、エトルリア神話など、多くの例があります。こうした約束事を利用するのも悪いことではありませんが、多神教を差別化するために、汎神論、一神教、二元論、アニミズム、シャーマニズム、祖先崇拝など、ほかの宗教に見られる類型を利用するのもひとつの方法です。ブランドン・サンダースンの作品が共有する「三界宙」という架空の宇宙には、一神教と多神教が混在しています。三界宙の創造主である神が一六の異なる神々に分かれて、それぞれ独立していながらも創造主の一部となっています。トールキンの作品の舞台である「中つ国」では、唯一神エル・イルーヴァタールに仕える天使のような存在であるヴァラールが、夫、妻、息子、娘がいる家族のような神々として活動しており、多神教の要素が感じられます。中つ国の民にとっては、抽象的な存在であるエルよりも、はるかに身近な存在です。ラヴクラフトのクトゥルフ神話には、シャーマニズムと多神教が混在しており、この神々と交流するためには狂気の状態にあることが求められ、交流することで狂気に陥る場合もあります。〈ドラゴンランス〉シリーズでは、二元論と多神教（三位一体と言ったほうがいいかもしれません）が混在しています。最高神は存在しませんが、善、中立、悪の三つのグループの神々が、対立しながらもつねにバランスを保っています。キリスト教への改宗が進む前のアイルランド神話には、多神教と二元論が混在しており、トゥアハ・デ・ダナーン（ダーナ神族）という神の一族と、フォモール族という悪魔の一族との闘争が描かれます。

人間の上に立つものか、異世界にいるものか

みずからを人間よりすぐれていて、明らかに上に立つ存在だと考える神々や、実際にそう見える神々が登場することもあります。一方で、『もののけ姫』（一九九七）や『アバター　伝説の少年アン』のように、自然界での役割を担う遠い異世界の精霊たちが登場することもあります。あなたの作品の多神教は、この両極端のどちらかに寄るのもよいですし、その中間に近いものでもかまいません。自分たちは人類に尽くすために存在していると考える精霊もいるかもしれません。

現実の世界において知られている神々と似かよった特徴に頼りすぎると、架空の世界の神々が独創性のないものになりがちです。ゼウスやポセイドンといった神の能力や名前、性別、外見を多少変えただけとしか感じられなくなるからです。あなたの宗教をユニークなものとして際立たせるには、一神教、神秘主義、二元論、シャーマニズム、アニミズム、祖先崇拝、さらには多神教に対する西洋と東洋の概念などから、さまざまな決まりごとを組み合わせてみるといいでしょう。

登場人物の人格形成

多くのファンタジーで、支配的な宗教が深く根づいた社会に生まれた人物たちが登場します。もしその宗教が、他者に対してどのように接するべきかという価値観や信念を持っているのであれば、ほとんどの登場人物にはそれが根づいているはずです。そうでないのであれば、その宗教は社会に真に根づいてはいないことになります。これによって、登場人物の人格を形成するにはふたつの道ができます。

1. 登場人物がどう行動するかを制限すること。その一例が『鋼の錬金術師』の傷の男(スカー)です。「神が作ったものを人が作り変えてはならない」という教義を持つイシュヴァラ教の武僧だったスカーにとって、物質を破壊して再構築する錬金術は神の道に背くことでした。そのためスカーは、再構築することなくただ破壊のみをおこなっていきます。これは、おもしろみには欠けるかもしれませんが、同じ社会で育った多くの登場人物も同じ道徳観を持つ可能性があることを意味しています。とはいえ、アメリカや中世ヨーロッパのような非常に宗教的な国々のなかにも多様な道徳観があります。

2. 登場人物が自分のモラルが試されるような状況に追いこまれ、変化を強いられたり、決然とした態度を取らざるを得なかったりする緊迫した瞬間を作り出すこと。『デアデビル』（二〇〇三）のストーリーにはこれがふんだんに盛りこまれています。デアデビルこと、マット・マードックはカトリックの熱心な信者です。マットは、自分の信仰心を何度も試され、神をうたがい、人を殺したくないという願いと葛藤します。それは厳格な宗教的信念のために貫いてきた信条です。

登場人物がこうした支配的な宗教の価値観に従わないのであれば、だれもが従っているのに、なぜその人物は従わないのかを説明する必要があります。これは、反抗的であるとか、宗教がきらいであるとか、確信が持てないといった単純なことでもかまいません。歴史的に見ても、宗教が最も盛んだった時代にも、こうした理由で宗教を拒否した人々の話はあります。

けれども、多神教は、簡単にこうしたことを回避できます。神々によってまったく異なる価値観を持たせることができるため、登場人物は自分がどの神を信じるかを選べます。あるいは、支配的な宗教であっても、どのように行動すべきか定められていない場合、同じ宗教の教えのもとで成長しながら、多様な道徳観を持つ登場人物を登場させることもできます。

神々の存在とは

あなたのストーリーに登場する神々は実在するわけではありませんが、読者は存在すると信じます。ある意味で、これは作家にとって非常にやりがいがあることです。その宗教の影響力というのがあなたが書く登場人物の心理に完全に依存したものなのですから。作品の世界観に浸った読者は、神々の行動であり、神々の発言であり、神々からの罰だと信じます。これを測る客観的な基準がない場合、宗教はしかるべき人の手にかかれば、残酷なものにも神の祝福を受けたものにもなりうるのです。あるいは、作者としてのあなたは、神々が存在するかどうかをただ曖昧なままにしておくのもいいでしょう。

まとめ

1. 現実の世界の宗教の多くは、世界はどのようにはじまったのか、他者とどのようにかかわったらよいのか、死んだらどうなるのか、という三つの問いに焦点をあてていますが、あなたが考える架空の宗教がそのすべて、あるいはいずれかに答えなければならないということはありません。
2. 多神教は、地域、文化、経済といった理由から、ある特定の神を信奉する宗派に分かれるため、宗教的信念に多様性が生まれる傾向があります。また、領土の広さや信者の数、その宗教の歴史の長さによってもちがいがあります。

3. 多神教は適応性が高く、ほかの宗教を吸収し、時間の経過とともに進化していきます。
4. その宗教が一般の人々の日常に与えている影響を表現することは、世界観を構築するうえで効果的です。
5. 多神教は、複数の宗派に権力が分散していることが多いため、一神教ほど地域権力と競争しない傾向があります（競争力がないわけではありません）。
6. 多神教の宗派すべてが、社会、特に経済においてどのような役割を持っているかを示すことで、それぞれの神を取り巻く価値観と信念の多様性を表現することができます。
7. 崇拝によって神の生死が左右される場合、宗派の争いが起きるので、物語のなかで大きな対立の原因となります。
8. 世界観を構築するときには、宗教上の約束事や類型を大胆に混ぜ合わせてみるとよいでしょう。よく知られた多神教の比喩にこだわりすぎると、古くさくて独創性のない神々ができあがるおそれがあります。

注

＊1 これは一般論であり、それ以上でもそれ以下でもありません。以下に詳述する理由から、このような**傾向**があることは事実ですが、多神教にも絶大な権力を持つ人物の例は数多くあるため、これを絶対的な法則と考えるのはまちがいです。たとえば、古代エジプトの王ファラオは、天空神の化身、太陽神の子とされ、現人神として政治、宗教の両面で絶大な権力を持ちました。古代ローマの最高神祇官（じんぎかん）は、世俗的な指導者が特にいない場合には、政治面で強い権限を持つわけではないにもかかわらず、絶大な権力を持ちました。

＊2 スパルタでは戦いの神アレスが重要だったのはたしかです。けれども、先に述べたように、ほんとうに大切なのは平凡な農民にとっての日常です。農民たちは、太陽と音楽の神アポロンや、食料をもたらす狩りの女神アルテミスのことを崇めていました。

＊3 マイケル・カークブライドがゲーム〈The Elder Scrolls〉シリーズのために書いた神話には目を開かされました。非常に細かく作りこまれており、神話好きには大いにおすすめの作品です。

第13章

隠された魔法の世界

本章で扱う作品

〈アルテミス・ファウル〉シリーズ
〈ハリー・ポッター〉シリーズ
〈X-MEN〉シリーズ
『ブラックパンサー』
〈トロールハンターズ〉シリーズ
ほか

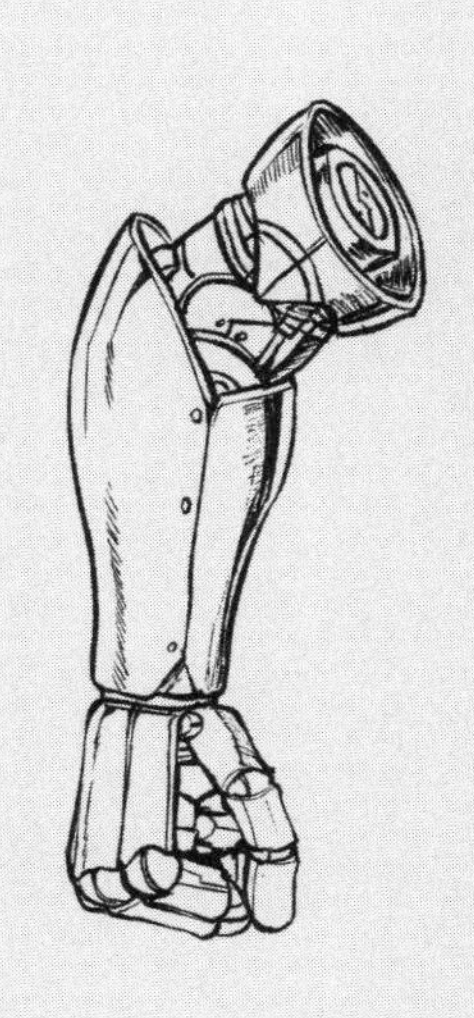

隠された魔法の世界は、長きにわたってファンタジーというジャンルに欠かせないものです。アイルランドの神話には「ティル・ナ・ノーグ」と呼ばれる不老不死の国がたびたび登場しますし、どの宗教にも、死後の世界や神々の世界などの見えない世界があると言えます。オーエン・コルファーの〈アルテミス・ファウル〉や、カサンドラ・クレアの〈シャドウハンター〉、そしてJ・K・ローリングのおなじみ〈ハリー・ポッター〉のように、魔法の世界を描いたヤングアダルト小説のシリーズも高い人気を誇っています。そこで、こうした隠された世界をストーリーとして論理的に構築する方法を考えていきましょう。六つの項目に分けて見ていきます。

1. 魔法の世界はどのようにして隠されているのか
2. 発見されることをどうやって防いでいるのか
3. 隠された世界にある社会の基本的機能
4. なぜその社会は隠された状態でいるのか
5. 地理と人口の影響
6. 隠された世界と物語

魔法の世界はどのようにして隠されているのか

魔法の世界を隠す方法はさまざまありますが、世界観の構築を考えるにあたっては、つぎの問いに答える必要があります。

a．どのようにして俗世間から発見されないようにしているのか。
b．秘密の世界の住民が自分の正体を明かすのをどうやって防いでいるのか。

ふたつ目の問いについては、のちほどくわしく考えていきます。それでは、世界観の構築にあたって重要となる、魔法の力、テクノロジー、外見、地形、思いこみの五つの項目に分けて考えていきましょう。

魔法の力

あなたのストーリーのマジックシステムを考えてみましょう。隠された世界では、ある種のふしぎな魔法が存在し、俗世間が魔法の怪物を見たり、魔法の領域にアクセスしたりするのを防ぎ、魔法界の人々が特定の場所に行けないようにします。シンプルな方法ですが、その魔法がそこにずっと存在してきたものであれば、世界観として信じられるものです。リック・リオーダンの〈パーシー・ジャクソンとオリンポスの神々〉シリーズでは、魔法の「ミスト」が一時的に人間の目をくらませ、神々やモンスターたちの存在や超常現象が見えないようにします。DCコミックスの「ワンダーウーマン」の神話では、魔法のバリアがセミッシラ島を守り、ほかの世界からは見えません。

けれども、問題は、この種の魔法と相性がいいのは、ソフトマジックのファンタジーだということです。H・P・ラヴクラフトの作品では、一種のベールの裏にうす気味悪い怪奇の世界が隠れていて、このベールがどこから来たのかは、だれも理解できない古代の力のように不可思議です。これは、エルダーゴッド（旧神）による驚くべきソフトマジックシステムには完璧にふさわしいものです。一方、ブレント・ウィークの〈ライトブリンガー〉シリーズに登場するのは、主に色を使って個々に能力を与えるハードマジックシステムです。このストーリーで「ベール」を使うことは、マジックシステムと矛盾し、都合がよすぎる印象を与えるだけでなく、魔法そのものの論理的根拠がうたがわれることになりかねません。これが許されるなら、なんでもありになってしまいます。

ハードマジックシステムには明確に定義されたルールが存在するのですから、そのストーリーに、ルールや制限が厳密でないソフトマジックの「ベール」のようなものを持ちこむことは避けてください。あなたのストーリーがハードマジックシステムの影響下にある場合、世界を隠すにはほかの方法を考えるようにしましょう。

テクノロジー

あまり一般的ではありませんが、テクノロジーを使うのもひとつの方法です。オーエン・コルファーの〈アルテミス・ファウル〉シリーズでは、地底に住む妖精「ピープル」が最先端のテクノロジーを駆使し、高周波振動によって自分たちの姿を人間の目から遮蔽（しゃへい）しています。この妖精たちは、偵察網を張り巡らせ、光線銃や生物爆弾などを装備して自分たちの世界を守ります。作品の世界にユニークな仕掛けを試みるのであれば、マジックシステムのほかにテクノロジーを使うことを考えるのもいいでしょう。

外見

多くの場合、ファンタジーには、人間の社会に溶けこめるほど外見が似た者たちのコミュニティが登場します。書きやすいストーリーなので、ヤングアダルト向けファンタジーによく見られるものです。ドラマ『ＧＲＩＭＭ／グリム』では、魔法の生きものは人間のような外見で、人間のように行動し、人間のように考えることができます。この理由としては、まず、先に述べたような魔法やテクノロジーのベールが必要ないこと、つぎに、おそらくこちらのほうが重要なのですが、人間になりきることができるからです。一方、〈アルテミス・ファウル〉シリーズの妖精たちは、緑の肌をしていたり、小人のようであったり、半人半馬であったり、羽根が生えて光を放ったりするので、隠すための手段が必要です。考え方も人間とは異なり、関係を築くことも簡単ではありません。

あなたの作品の隠された者たちが「ふつうの」社会[*1]に溶けこめるのであれば、世界観にふたつの重要な影響を与えます。

1．隠された世界が「ふつうの人間」が見ただけでは容易に識別できないため、かならずしも魔法やテクノロジーによる厳重な保護を必要としない。

2．隠された世界から来た人々は、「ふつうの人間」の心理に親しみを感じることができる。これによって、政治、技術、芸術、経済、その他の領域で自然にふれあうことになり、ふたつの文化のあいだに交流が生まれます。その一方で、暴露されるリスクは高くなります。個人はその「ふつうの」世界で生活や人間関係を築くことになり、自分たちの世界を明らかにすることを求められたり、明らかにされたりする可能性が高くなります。もしあなたが、どちらの世界の住民も登場するストーリーを書こうとしている一方で、まったく異質な社会とはじめて出会う人類が陥る複雑な関係を探求したいわけではない場合、このタイプの世界が適しています。

地形を利用する

隠された世界に魔法もすぐれたテクノロジーもなく、人間社会に溶けこむこともできないのであれば、地形を利用して世界を秘密にしておくという方法もあります。ただし、これにも問題はつきものです。

読者にとって最も真実味があるのは、隠された世界が、外の世界との出入りを完全に掌握していることです。古代の魔法の門戸を通る入国港をごく少数支配しておけば、外に情報が流出するのを防ぐことができます。

これは、古代の神話ではよく使われる方法であり、異界には守護者が存在します。北欧神話では、守護神ヘイムダルがアスガルド（神々の世）と地球をつなぐ虹の架け橋ビフレストを守っていますし、ケルト神話のマグ・シウイン（平和の国）へは妖精たちの住む場所を通らなければ行くことができません。先に述べた方法と組み合わせた作品もあります。〈アルテミス・ファウル〉シリーズの妖精たちは、テクノロジーと魔法をあわせ持っていますが、それでも自分たちの秘密と安全を確保するにはじゅうぶんではありません。そこで、妖精たちは地底深くにヘイブン・シティという都市を築き、人類にはけっして見つからないように生活していました。

地形を利用して隠された世界を隔離する場合に、考慮してほしいことがふたつあります。


a．「隠された人々」は「ふつうの人々」をどう見るでしょうか。固定観念を持ったまま、対抗意識を燃やすのでしょうか。固定観念があると、必然的に他者を否定的に見ることになります。〈アルテミス・ファウル〉シリーズで、地底の妖精たち「ピープル」は、人間を「マッド・ピープル」と呼び、愚かで、残酷で、操りやすく、自分たちより劣った存在だと見ています。アルテミス少年が登場するまで、妖精ホリー・ショートには、生まれて以来ずっと教わってきた人間に対する見方を覆すものはありませんでした。[*2] 隠された神秘的な世界に存在すると考える集団を神話化すれば、その住民たちは人間に対してよくない印象をいだくはずです。

b. ソーシャルメディア、通信衛星、携帯電話、インターネットの発達により、くわしい情報が瞬時に広まり、検証できるようになりました。地形を利用して隠された世界が真実味を持つのは、こうした情報化時代よりも前の話です。

思いこみを利用する

もうひとつ、魔法の世界を隠しておくために使える方法があります。人間の思いこみを利用することです。ときには、何もしないのがいちばんの方法ということもあります。人間とは、正気を保つために、見たくないものは見なかったふりをしたり、もっともらしい解釈をしたりするのが得意です。どこかに真実があるのだとしても、人間はほんとうのことなど気にかけるのでしょうか？　パトリシア・ブリッグズの『裏切りの月に抱かれて』で、吸血鬼は自分たちの存在を公にする者をただ放置します。耳目を集めたとしても、だれも本気にはしないとわかっているからです。ただし、『X-ファイル』のフォックス・モルダー捜査官のような人物なら話は別です。

魔法の世界を築くにあたって、発覚を防ぐための一〇〇パーセント確実な方法は必要ありません。必要なのは、情報が漏れたとしても「ふつうの人」が本気にしないほど壮大な世界を作りあげることです。その情報があまりに信じがたいもので、理屈に合わなかったり、証明不可能であったりすれば、それを信じたり吹聴したりする人間は陰謀論者と見なされます。地球の裏側にある人口一万人の町で、オオカミ人間と吸血鬼が夜な夜な通りで戦っているとヽヽヽ全住民が信じていると聞いて、あなたも信じるでしょうか？　おそらく信じることはないでしょう。

発見への対処

隠された世界について知られた場合は、『メン・イン・ブラック』（一九九七）や〈ハリー・ポッター〉シリーズのように記憶を消去することもあれば、S・M・スターリングの『コンキスタドール』（未訳）のように、秘密を知った人間を隠された世界へ強制的に連れ出すこともあります。ティム・マーキッツの『クランデスティン・デイズ』（未訳）のように殺される場合もあります。論理的に世界観を構築する場合、作者が考えなければならないのは、秘密を守るための魔法やテクノロジーよりも、三つの不確定要素の影響です。

a．その方法はどの程度利用しやすいか？
b．その方法はどれだけすばやく実行できるか？
c．論理的にどう思われるか？

これらの不確定要素は、隠された世界を構築するうえでそれぞれの結果をもたらします。たとえば〈ハリー・ポッター〉シリーズでは、若い魔法使いでも相手の記憶を消す「オブリビエイト」の呪文を使うことができます。記憶を消す必要がある人間のもとへ瞬間移動することもできます。『ハリー・ポッターと炎のゴブレット』に登場するキャンプ場の管理人の場合がまさにそうでしたね。この呪文はマグルにはほとんど気づかれず、相手に傷を負わせることもないので、魔法使いたちは自分たちの安全と秘密を確保するために自由に使っています（とはいえ、たとえどんなに些細なことであっても、啓蒙主義の伝統において、記憶の削除はまちがいなく個人の自由と権利に対する著しい侵害です）。これとは対照的に、ケリー・アームストロングの〈アザーワールド〉シリーズ（未訳）で、オオカミ人間である主人公のエレナは内面に葛藤をかかえており、自分の世界を発見した人々をなんの警告もなしに殺害することは倫理に反すると感じています。この倫理上の葛藤が、世界を秘密のままにしておくことを困難にしています。

発見された場合に対処するテクノロジーや魔法の力が少数にかぎられていたり、非常に困難なものであったり、時間がかかったりする場合、逃げ出した者が情報を広める可能性が高まります。一般大衆のあいだで魔法の力をどの程度使うかを考える際には、このことを頭に置いてください。倫理に反する方法が必要な場合、その方法を使うことを拒否するグループが隠された世界にいることで、発覚のリスクが高まります。

社会の基本的機能

意外に思うかもしれませんが、どんな社会もそうであるように、隠された社会にも、産業、経済、政治、そして接続性が必要です。全世界を相手にかくれんぼをしているのでは、どれについても非常にむずかしいものです。

経済

経済の基本概念である需要と供給のバランスについて考えてみましょう。資源には限りがあるため、基本的にすべての需要を同時に満たすことはできません。隠された世界では、「ふつうの世界」に出て行くことができないため、特定の資源を手に入れることが制限されます。たとえば、牛や羊のような家畜が繁栄するためには、広大な開けた土地が必要です。つまり、隠された世界で、土地がほとんどない場合や、主に地下で生活するような場合、肉や羊毛、乳製品などを大量に生産することは困難です。こういった製品を手に入れるには、主に人間の市場を利用することになりますが、それには発見されるリスクがともないます。リスクは価格を上昇させ、一部の製品は贅沢品となります。

あなたの作品の隠された世界では、(テクノロジーや魔法の助けを借りるかどうかにかかわらず)どのような資源が入手できるのか、そしてその需要と供給が市場にどのような影響を与えるのかを考えてみましょう。特定の資源の過不足は、残りの社会にどのような影響を与えるでしょうか。隠された世界で肉が手にはいらない場合、根本的に菜食主義の倫理観が発達するかもしれません。木材がほとんど手にはいらない場合は、洞窟構造を利用した建築様式が使用されるかもしれません。

隠された世界の内部経済も考慮する必要があります。魔法の世界ならではの特性を持つ工芸品の交易も考えられますが、こうした品々が「ふつうの」世界に出まわれば、必然的に発見されるリスクも高まります。政府は特徴ある製品をどのように取り締まればよいでしょうか。わたしたちの現実の世界では、政府は許認可の発行、所有者の登録、身元調査などをおこなって製品を規制しています。

政治

以下の問いについて考えてみましょう。

a. 隠された世界の政府は何をする必要があるのか。

b. どんな政府構造が最も適しているか。

c．政府は「ふつうの」世界とどのようにかかわるのか。

政府の規模の大小は合理的に考えて決定します。あなたの作品の政府をどちらにするかは、さまざまな要因がかかわります。発見されることへの強い恐怖から、強力な監視能力を持つ大きな政府が必要となるストーリーもあります。これによって、中央管理が可能になり、自分たちを守るための団結心が国民に生まれます。ゲーム『アサシンクリード　ブラザーフッド』――隠された世界というより秘密結社ですが、同じルールが数多く適用されます――に登場するテンプル騎士団はその例です。彼らはすべての車に録画装置を搭載し、監視の必要がある市民の詳細なプロフィールを把握しています。これを可能にしているのは、敵を寄せつけないすぐれた技術力と莫大な資金です。一方、秘密の世界であることによる法の運用のむずかしさから、小規模で分権化した政府を必要とするストーリーもあります。ジム・ブッチャーの〈ドレスデン・ファイル〉シリーズがその例であり、効率的な自主規制を期待して、より多くの権力を地域社会の手に委ねます。この理由としては、隠されたグループ同士の距離、グループ間の移動の困難さ、あるいはコミュニケーション不足が考えられます。こうしたものが欠如していると中央集権はむずかしくなります。

一方で、あなたの世界と「ふつうの」世界との関係はかならず考える必要があります。ふたつ以上の種族の集団が共存している場合、たとえ一方が他方の存在を知らないとしても、一方の世界の政治的・社会的動向がもう一方の世界の動向に影響を与える可能性は高くなります。これに該当するのは、民主主義、政府のアカウンタビリティ（説明責任）、ファシズム、官僚主義といった傾向です。とはいえ、隠された世界が社会的あるいは地理的に切り離されている場合、「ふつうの」政府の動向に簡単に左右されることはありません。〈ハリー・ポッター〉シリーズに登場する魔法省は、啓蒙思想によって民主的になり、説明責任を果たすようになりましたが、これは魔法使いたちがマグルに交じって住み、マグルの考え方のよい部分を受け継いだからです。西洋諸国が国家の運営方法を変えたように、魔法界も変わったのです。

隠された世界にいることがあなたの作品の政府にとってどのようなユニークな課題を生み出すのか、そして、それに対処するためにはどのような政府と政策がふさわしいのか考えてみましょう。同様に、その世界が社会的、地理的に切り離されたものであるほど、政治的議論は異なる速度で発展します。それは速いこともあれば遅いこともあり、まったくちがう方向へ進むこともあります。

社会

隠された世界にいることが社会の構造や価値観にどのような影響を与えるか考えてみましょう。もし社会の安全が、魔法のベールを維持する能力を持つ数人の選ばれた者に依存しているとしたら、その者たちは社会の最も重要な構成員として上流階級になるはずです。子供たちは「ふつうの人」と交流すればおそらく仲間はずれにされます。〈X-MEN〉に登場するマグニートーは、磁場を操ることをはじめとした、数々の能力を持ったミュータントです。ミュータントとは特殊な能力が備わった新たな人類であり、エリート主義の価値観を支持するマグニートーは、ふつうの人類よりすぐれたミュータントが世界を支配するべきであり、たとえそれが暴力を意味するものであっても、ミュータントは隠れる必要がないと主張します。政治と同じように、隠された世界が地理的にも社会的にも「ふつう」の世界から切り離されているほど、価値観、言語、社会構造は独自に進化していきます。隠された社会となった分岐点について考えてみましょう。その時点から何を受け継ぎ、社会的価値観はどのように変化していくでしょうか。たとえば、ルネサンスや啓蒙時代の前に「ふつうの」世界から切り離されたのだとしたら、革命的な変化の恩恵を受けることはないのですから、非常におもしろいものができそうです。これとは逆に、もしローマ帝国崩壊の前だったとしたら、その没落によって苦しまずにすみます。

なぜ隠れつづけるのか

現実的な世界観を構築するには、大人数の人々——ほとんどはその場で殺そうとまでは思っていない人々——にけっして見つからないようにするために、社会全体が、煩雑で時間も費用もかかる手段を講じる現実的な理由が必要です（特に、相手国が近代西洋文明の国である場合）。ほとんどの場合、「世界はまだ準備ができていない」などと表現されるパターンです。「ふつうの」世界に殺されるのを恐れているか、ふつうの人々がいないほうが幸せだと信じているからです。いずれにしても、時間と孤立によって「ふつうの」世界の人々に対するよくない固定観念が数多く育まれてきたことが容易に理解できます。この言い訳は一見問題ないように見えますが、隠された世界がかかえるつぎのような問題を考えると、現実的な世界観としてはすぐに破綻してしまいます。

どれほど危険なことであろうと、どれほどの罰を受けることになろうと関係ありません。隠された世界の秘密を暴露することで得られるものがあるならば、人はそうすることを選びます。

これは秘密の世界の悪役につきものの問題で、悪役たちには自分たちの世界を暴露する動機がじゅうぶんにあります。多くの場合、魔法やテクノロジーを明かすことで金銭的な利益を得られます。たとえ悪名を馳せることになっても、社会的な権力や影響力が得られます。〈アルテミス・ファウル〉シリーズのオパール・コボイをふたたび例にとってみましょう。悪役であるピクシー（小妖精）のオパールは、妖精と人間の世界をひとつにしようと目論んでいます。オパールは、法を犯すことや自分の世界が危険にさらされることなど気にも留めません。それこそが大きな問題なのです。

これを回避するために、悪役は隠された世界にしか興味がない、あるいは、ふつうの世界を征服する前に隠された世界を支配する必要がある、とする世界観もあります。〈ハリー・ポッター〉のヴォルデモートはその例です。彼はマグルを完全に劣った存在だと見なしており、マグルの世界で公然と自分の利益を追求する前に、魔法界を支配する必要があると考えています。

倫理的問題――隠すことについての信念

ライアン・クーグラーとジョー・ロバート・コールの脚本による映画『ブラックパンサー』（二〇一八）の舞台は、アフリカの秘境に隠れた超文明国ワカンダです。高度な科学技術を持つワカンダには、世界を変えるほどのパワーを秘めた希少鉱石「ヴィブラニウム」が大量に眠っています。ファンタジーやSFに登場する隠された社会は、多くの場合、「ふつうの」世界がなんとしても手に入れたい宝や驚くべき力を手にしています。この映画では、敵役が正当な理由を持って「ヴィブラニウム」を世界と共有すべきかどうか迫ります。この問題に取り組むことで、あなたのストーリーは隠された世界に対するユニークな解釈をすることになります。多くの作者が無視してきた問題だからです。けれども、もしこの問題を取りあげるのであれば、それは当然、物語を支配しうる、そしてほぼまちがいなく支配すべき、大きな対立を生み出します。

この問題を回避するひとつの方法は、物語上の対立が影響を及ぼすのは隠された世界のなかだけとすることです。これによって、登場人物たちはふつうの世界を考慮に入れる必要がなくなります。〈ハリー・ポッター〉シリーズで、利害関係がマグルに直接関係することがほとんどないのはこのためです。魔法省の官僚ドローレス・

アンブリッジがホグワーツ魔法魔術学校を乗っ取っても、マグルにはまったく影響がないので、登場人物はその問題を考える必要がありません。あなたのストーリーがふつうの世界に影響を与えるのであれば、この問題が登場人物の倫理観とどう合致するかを考えます。なぜ隠された世界の秘密を暴露しようとするのでしょう。あるいは、なぜ秘密にしておくことが正しいと考えるのでしょう。

個人的な理由から隠された世界を暴露する者もいるかもしれません。ふつうの社会に溶けこんでいるほど、愛や友情、研究、あるいは単純な好奇心のために隠された世界を暴露しようとする可能性が高くなります。それは最終的に、隠された世界の問題にもどってきます――どれほど危険なことであろうと、どれほどの罰を受けることになろうと関係ありません。隠された世界の秘密を暴露することで得られるものがあるならば、人はそうすることを選びます。このため、隠された世界の闘いとは、情報を漏らす機会をなくすことではなく、動機をなくすことです。世界観を構築する際には、情報が漏れたとしても「ふつうの人」が本気にとらないほど、壮大なものにする必要があります。

人口と面積

隠された世界の存在を暴露する動機に影響するのが、その世界の人口と面積です。あなたに秘密があって、そのことを話した人間がひとりだけいるとします。秘密を知る人物はふたりしかいないので、だれが他言したかはすぐわかってしまいます。つぎに、同じ秘密を知っている人間が一〇〇人いるとしましょう。秘密を守りとおすのはかなりむずかしくなります。最初に話したのがだれかわかるリスクが低くなり、危機感が薄れるのです。数千人、数百万人の規模になったらどうなるでしょうか。隠しとおすのは事実上不可能です。

ギレルモ・デル・トロ監督のアニメシリーズ〈トロールハンターズ〉では、何万人ものトロールは登場しません。人口は比較的限られており、そのほとんどがひとつの地下都市に集められています。入り口が数か所しかなく、政府によって厳重に管理されているため、秘密を守りやすくなっています。隠された社会の世界観を構築する場合、人口が少ないほど噂が広まる可能性は低くなります。犯人が見つかるリスクも高くなるため、そのリスクが抑止力になります。狭い範囲に集められていると、追跡が容易になるため、秘密のままでいようとする動機が高まります。また、「ふつうの」社会との交流を持つことも防げます。外界と交流を持つことは、秘密を暴露することにつながるからです。広大な土地に隠された世界を築くのは非現実的です。狭い範囲に集まった、結びつきが強い社会は、論理的な世界観を構築するのに適しているといえるでしょう。

隠された世界と物語

隠された世界が人気を集めるのには理由があります。森や地面の下、魔法のベールの向こうなど、わたしたちが住む町のすぐそばに魔法の世界が隠れていて、それをふつうの人が見つけることができるというアイデアは心躍るものです。本のなかに描かれた架空の世界に夢中になる読者は、手を伸ばせば届きそうな場所にある世界に没頭したいと願うのです。現実の世界からストーリーがはじまっていれば、読者がそのなかに身を置き、魔法の世界がすぐそこにあると信じやすくなります。〈ハリー・ポッター〉シリーズがはじまるのはサリー州の平凡な裏通りですし、『吸血キラー゠聖少女バフィー』の舞台サニーデイルは、カリフォルニア州のありふれた町です。

隠された世界を多くの作家が登場させる根底にある狙いは、読者をその世界にはいりこみやすくすることです。そのため、隠された世界の物語には多くの場合、物語を進めるうえでの三つのポイントがあります。

a．隠された世界が、なじみ深い現代の人間世界と隣り合わせに設定されている。
b．主人公は人間で、ストーリーの冒頭でその世界を発見する。
c．だれもが知っているものに、魔法の世界にまつわる別の意味を持たせる。

『パーシー・ジャクソンとオリンポスの神々　盗まれた雷撃』では、ストーリーの舞台は二〇〇〇年代初頭、ギリシャ神話の世界が隠されているのはアメリカです。主人公のパーシーは平均的な読者の年齢（一二歳）であり、隠された世界のことを何も知りませんが、第一章で読者とともにそれを発見します。そして、エンパイア・ステート・ビルディングというだれもが知るおなじみの場所に、神々が住むオリンポス山への入り口という第二の意味を与えています。この三つの設定によって、読者は主人公とその旅に親しみを覚え、物語の世界にはいりこみやすくなります。

とはいえ、隠された世界の物語を書くうえで、この三つをどうしても使わなければならないということはありません。『アサシンクリード』のように古代史を舞台にして隠された世界を作ってもかまいませんし、映画『コンスタンティン』（二〇〇五）でキアヌ・リーブスが演じたジョン・コンスタンティンのように、隠された世界に最初からどっぷり浸かったキャラクターを登場させることもできます。地球とかけ離れた見知らぬ惑星を舞台に隠された世界を作るのもいいでしょう。「ふつう」というのが人間ですらないストーリーも見てみたいものです。

ヤングアダルト向けのファンタジーでは特によく使われてきた手法ですから、隠された世界の物語を構成するときに前述の三つの要素に頼りすぎてしまうと、ストーリーがありきたりで独創性がないものになるおそれがあります。読者をストーリーに引きこみ、主人公に共感させるのには役立ちますが、こうした使い古された表現には頼らず、個性的な手法を考えるようにしましょう。

まとめ

1．隠す手段を考えます。あなたが使うマジックシステムに適していれば、魔法の力を使うのがよいでしょう。ソフトマジックシステムのほうがよいかもしれません。隠された世界の住民が人間社会に溶けこむことができれば、大がかりな魔法やテクノロジーなどの戦略は不要になります。地形的に孤立していれば、対抗意識が生まれ、固定観念を覆すことができなくなります。

2．発見を防ぐ手段を考えます。その手段が少数の者にかぎられていたり、非常に困難なものであったり、道徳的にどっちつかずなものであれば、隠れているための方法としては不向きです。あまり使われませんが、人間の思いこみを利用するのもよい方法です。発覚を防ぐための一〇〇パーセント確実な方法は必要ありません。秘密の世界についての情報があまりに信じがたいものであれば、本気に取られることはありません。

3．隠された状態でいることが、資源の供給や政府の規制に与える影響を考えます。隠された社会が直面する課題に応じて、中央集権か地方分権かが決まります。隠された世界が「ふつうの」世界から切り離されているほど、政治体制は独自のものになります。「ふつうの」世界と近い場合は、政治、金融、芸術の面で「ふつうの」文化のよい部分を受け継ぎます。隠された世界となったのは<ruby>いつ<rt>、、</rt></ruby>かを考えましょう。その時点から社会のモラルや社会構造はどのように変わるでしょうか。

4．隠された世界の問題とは、どれほど危険なことであろうと、どれほどの罰を受けることになろうと、それによって得られるものがあれば、人は世界の秘密を暴露するということです。この問題を防ぎ、真の倫理的問題として取り組むことは可能ですが、完全に否定するのは非現実的な世界観です。物語のなかでこの問題に取り組むほうが現実的かもしれませんが、その結果、物語が支配されることになりかねません。

5. 隠された世界が小さいほど、そして地理的に孤立していて緊密であるほど、噂が広まる機会は少なく、噂を広めた犯人が捕まる可能性は高くなるので、世界が発見されるリスクは低くなります。

6. 隠された世界の物語には、読者を主人公に共感させ、あなたの世界に没入させるのに役立つ三つのポイントがありますが、これにこだわりすぎると、独創性がないものになりがちです。

7. 基本的に、完全に現実的で論理的な世界観にこだわるのであれば、隠された世界の物語は向かないかもしれません。

注

＊1 多くの作家は、「ふつうの」社会は今日の現代文化に通じるような人間社会だという前提にしていますが、かならずしもその必要はありません。人間が住む世界を隠された社会にするのもおもしろいものです。映画『デイブレイカー』（二〇〇九）はその例です。

＊2 アルテミスは最初、ホリーを誘拐し、監禁するので、残酷だという点は確認されました。アルテミスは天才的頭脳の持ち主だったので、その点はちがっていましたし、やさしい面も明らかになっていきます。

第14章

帝国を築く

本章で扱う作品

〈スター・ウォーズ〉シリーズ
〈ゲド戦記〉シリーズ
『アバター　伝説の少年アン』
『デューン　砂の惑星』
〈コードギアス〉シリーズ
ほか

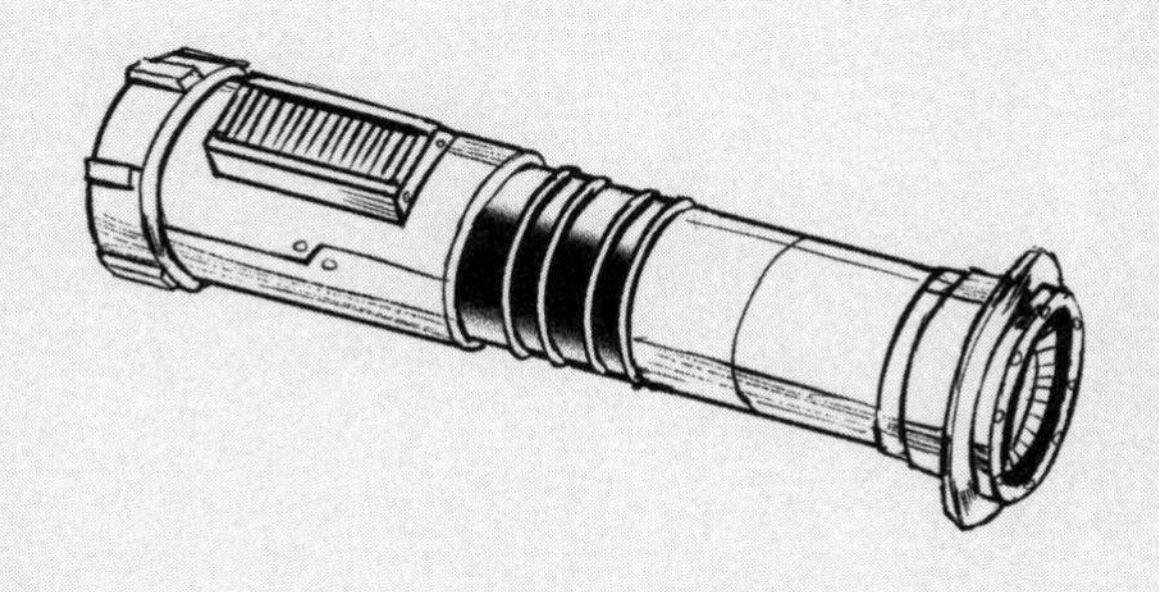

帝国を築くには何が必要でしょうか。食料源の確保と莫大な財宝が必要なのは言うまでもないとして、作品のなかで帝国の世界を構築するときは、まず、その形を理解する必要があります。つまり、どの惑星が中心になるのか、なぜ特定の王国には拡大し、他の王国には拡大しないのか、国境はどこなのか、なぜそこから先にはいかないのか、といったことです。これを決めるには多くの要因がからみますが、まず、帝国を築くにあたっての動機から代表的なものを見ていきましょう。資源、安全確保、ナショナリズムの三つです。

その前に、真実味のある帝国の世界観を構築する際に作者がすべき最も重要なことを指摘しておきます。それは、歴史上に実在した帝国の記録を研究し、なぜ帝国が勃興し、何がそれを維持し、なぜ滅亡したのかを学ぶことです。歴史をよく理解することは、歴史を書くときには欠かせません。この章ではいくつかの重要な点と問いをあげていきますが、実在した帝国について学ぶことはリアリズムにとって不可欠です。

資源を求めて

貴重な資源を求めることは、帝国を築くにあたっての大きな動機です。資源を求めることによって築かれた帝国からは、帝国を構築する際に役立つふたつの情報を学ぶことができます。

1．帝国が力を及ぼそうとしている場所の地形図が得られます。これには、本国の地形と陸地を考えることが含まれます。あなたの本国が必要とする、または不足しているのはどんな資源ですか。どこへ行けばその資源が手にはいるのでしょうか。かつてポルトガルは、自国では入手できない貴重な染料、木材、砂糖を求めていました。そして、染料を採取できる木の産出国であるブラジルを支配下に置くと、のちに大規模な砂糖プランテーションを建設し、すべてを手にしました。

2．資源を求めて本国となる帝国を構築するということは、それを実施するための戦略には経済的支えがあるということです。これによって、帝国が資源を管理下に置くために行使する武力も決定します。

あなたが築いた架空の世界の経済が海上貿易で成り立っている場合、帝国は当然強力な海軍を必要とし、その戦略は世界中の重要な港湾を管理下に置くことを中心に展開することになります。あなたのSF世界の帝国が貿易のための宇宙ルートに重点を置いている場合、または特定の貿易惑星がある場合、それらを管理下に置くことは存続可能な帝国を確立するために重要です。このふたつは同じことです。つまり、資金と資源が流れるポイントを管理下に置くということです。これが、〈スター・ウォーズ〉シリーズにおいて惑星コルサントの支配が非常に重要であった理由のひとつです。コルサントは数十の交易ルートの終着点である重要な惑星でした。

資源主導型の帝国は、軍事力の支えがあったとしても、強硬な軍事侵攻に依存することなく、貿易協定を取りつけて、輸出品には税金を、輸入品には関税を課し、資源を採取して本国を豊かにすることができます。大英帝国がインド、ニュージーランド、カナダ、ケニアでおこなった政策はその例です。[*2]

これとは反対に、みずからが管理下においていない貿易を排除する場合もあります。モンゴル帝国の経済を管理するには、東西を結ぶ交易路であるシルクロードの征服が不可欠でした。初代皇帝チンギス・ハーンは、自分の目が行き届かない場所での交易を止めるために、アラビア南部とトルコの多くの都市を破壊しました。これによって、交易はチンギス・ハーンの支配下にあるルートを通ることを余儀なくされ、モンゴル帝国の経済的優位性が確保されました。

帝国が拡大する過程で過小評価されている要因のひとつは気候です。大英帝国は通常、植民地にした地域に法廷や議会の法的伝統を持ちこみましたが、ケニアなどアフリカでの植民地では、その炎熱な気候には耐えられないことと、その地域特有の数々の風土病が存在することにすぐ気づきました。このため彼らは、植民地化から資源の搾取、つまり母国を豊かにするために資源を吸いあげることに焦点を切り替えました。同様の戦略は他の欧州列強も採用し、ベルギー国王がコンゴ自由国で過酷な植民地支配をおこないました。資源目当てに占領している土地を植民地化することに帝国の人間がさほど関心を持っていない場合、ほかの行動をとる理由がなければ、こうした搾取戦略をとることになります。現地の住民が当然有するはずの法的構造や権利をもたらすわけではないため、現地の住民にとっては悲惨な状況となります。多くの場合、気候や環境が人を寄せつけないものである場合に起こります。

こうした問題を考える際に注目すべき要素は、本国の国土面積をどれくらいにするかということです。一般に、小規模な国土では資源が乏しく、種類も少ないため、広大な国土を持つ国家よりも資源主導型になる可能性が高くなります。大航海時代に海軍貿易を支配した大英帝国、ポルトガル、オランダ海上帝国がまさにそうでした。ル＝グウィンの〈ゲド戦記〉の舞台であるアースシーのような群島国家では、資源主導型の帝国が存在する可能性が高くなります。

『アバター　伝説の少年アン』の火の国は、フィクションとしていま述べた理論すべてが盛りこまれたよい例です。火の国の領土は比較的小さいため、資源は拡大戦略にとって重要な要素です。北西にある土の王国が持つ石炭、木材、鉄分に富む鉱床を求めることで、火の帝国の形が決まります。戦争初期、この地域の植民地化と支配は最優先事項でした。さらに、世界経済の大部分が海軍貿易に依存していることを承知していた火の国は、強力な海軍を築き、土の王国内の港湾都市を支配して、貿易を操り、母国を豊かにするために税金を課しました。さらに、捕虜とした敵国の兵士による強力な労働基盤を築きました。

この逆の設定もあります。つまり、ほかの国々が必要とするきわめて貴重な資源の大部分を本国が支配しているか、独占している場合です。これによって、ふたつのことが決まります。

a. 資源の独占によって帝国の政治構造が決まる。そのよい例が、フランク・ハーバートの『デューン　砂の惑星』です。舞台となる惑星アラキスは、人間が住むには過酷すぎる荒涼とした環境ですが、希少な資源である香料「メランジ」が採取できる宇宙で唯一の場所です。メランジは人間の老化を抑制できるのみならず、人間の精神能力を拡張させ、さまざまな超能力をもたらす物質であり、「それがなければ、帝国に商業は存在せず、いかなる文明もない」、「香料を制する者が全宇宙を制する」と表現されています。帝国は宇宙を支配する麻薬のうえに成り立っているも同然です。このため、アラキスは帝国の中心となります。時の権力者たちは貴重な資源を支配することに命を懸けます。宇宙に大きな力を及ぼす二大勢力である、超能力を持つ女性の秘密結社ベネ・ゲセリットと、恒星間飛行能力を持った宇宙協会（スペーシング・ギルド）もアラキスに拠点を置きます。権力の中枢が築かれたのは希少な資源の存在があってこそです。

b. 資源の独占によって帝国の形が決まる。貴重な資源を奪おうとする者たちから身を守るために、必然的に近隣で最大の脅威となる者たちを制圧することになります。これは自衛についての考察になりますので、このあとの安全確保の項目でくわしく説明します。

帝国についてのストーリーを書くためのユニークな設定を探しているなら、この資源主導型がよいかもしれません。一般に帝国は搾取主義者とみなされますが、本国の福祉と経済が特定の資源の管理と貿易に大きく関係している場合、その資源を支配する者は当然、そこから生まれた帝国で権力を振るうことになります。君主制や封建制による直接の権力の場合もあれば、社会資本を通じて権力者や社会に影響を与えることで間接的な権力となる場合も考えられます。それによって帝国の文化、経済、政治の中心を作り出すことができますから、とても魅力的な設定になることでしょう。

本国にどのような資源があるか、どのような資源が必要かを考え、あなたの物語のなかのどこで帝国が権力を主張するかを決めることによって、帝国の形がはっきりします。また、貿易を操作するのか、植民地化あるいは搾取をおこなうのかも決まっていきます。帝国内にある貴重な資源の所有権と場所も、国家の政治構造に影響を及ぼします。

安全を確保する

安全の確保は、ふたつの点において帝国を築く重要な力となります。

a．ある地域に住む特定の民族が団結する理由となる。

b．近隣の王国、国家、惑星、銀河系との戦争の結果、新たな土地を獲得した後に帝国が作られる。

この両方のよい例として、古代ローマ人をあげることができます。ローマ人が住んでいたのは、テヴェレ川一帯の戦略上の要所で、孤立した村の集まりでした。この場所は、ラテン人、サビニ人、ウォルスキ人、エトルリア人も注視していました。その結果、この村の集まりは団結して都市国家を形成することを余儀なくされました。安全を確保するために団結したローマ人は、エトルリアの都市ウェイイや隣接する都市トゥスクルムに勝利したのち、その土地を組みこみ、敗北した住民を国家に編入して帝国の規模を拡大しました。一部の帝国は、敵がふたたび攻撃しないようにするための安全確保の策として、攻撃する人々の土地に足場を築きます。これにより帝国が成長します。

資源主導型の帝国が資源の所在によって形作られるのと同様に、安全の確保にもとづく帝国は、山、峡谷、海岸線、あるいは軍隊の突破が困難なアルデンヌの森〔第二次世界大戦の激戦地〕など、防御しやすい国境によって形が決まります。帝国の建設は、その地理的条件によって、安全確保が大きな要因となります。たとえば、ユーラシアの大草原を横切るモンゴル人の国土には、自然に防御可能な海岸線がなく、簡単に防御できる南の国境もありません。南に中国、西にトルコがにらみをきかせるなか、チンギス・ハーンは周辺国家を支配下に置いて国境を強化し、潜在的脅威とのあいだに巨大な緩衝地帯を設けて国土の安全を確保するとともに、トルコ人と中国人が再び台頭するのを防ぎました。

資源主導型の帝国は小さな国や島から生まれることが多く、海岸線のない広大な国や陸地を拠点とする国、特に内陸国は、当然のことながら防衛力の低い国境の安全確保のために動くことになります。〈コードギアス〉シリーズの神聖ブリタニア帝国はこのふたつがうまく組み合わされています。当初、帝国の形は安全確保の必要性から決定され、自国を守り、敵国に対する強力な防衛手段を築くために、アメリカ大陸の近隣諸国を征服しました。けれども、戦争によって希少資源であるサクラダイトの価値が高まったため、その最大の産出国である日本への侵攻を決めました。帝国は無作為に領土を制圧するわけではありません。選ばれた場所には特別な理由があるのです。

一方、ある地域でいくつかの民族が、名目上の首長をひとり立てて、相互の安全を確保するために統合するのは、外部からの脅威だけでなく、山賊などの国内の脅威に対して備えるためでもあります。ひとつの政府であることによって、都市間の道路や地域を効率的に警備できるようになり、国内での移動と貿易がしやすくなります。商業は帝国の繁栄、安定、そして平和につながります。また、問題が発生した場合に自分の町だけで対処する必要はなくなり、多くの人材を活用できるようになります。

ナショナリズム

ナショナリズムとは複雑なイデオロギーであり、さまざまな異なる解釈があるため、単純に善悪の判断をしたり、残虐だと決めつけたりすることはできません。必然的に、それには現代および歴史的な社会政治的な文脈をともないます。つまり、過去および現在進行中の多くの社会的および政治的な動きと関連づけられることが避けられません。この本は、ここで具体的に名前を挙げて説明したもの以外の特定の運動について意図的に解釈するものではなく、それ以外に引き出した解釈があるとすれば、それはあなた自身の解釈です。ナショナリズムは比較的新しい概念であるとも考えられていますが、たとえそう呼ばれなかったとしても、ナショナリズムに関するなんらかの形での客観的な定義は歴史を通じて見られます。ここで取りあげているのはナチスのことだけではないので、誤解がないようお願いします。ナショナリズムは、争いのなかからも繁栄のなかからも等しく生まれる奇妙な生きものです。

〈スター・ウォーズ〉の銀河共和国、のちの銀河帝国は、紛争から生まれた例です。大銀河戦争、経済不況、そしてみずからの生活様式や伝統が失われることへの恐怖が、共和国の最高議長パルパティーンが言うところの「安心かつ安全な社会」を望むナショナリズムの波を引き起こしました。帝国になることは、国家の衰退を防ぎ、かつての栄華が失われるのを防ぐ方法と見なされています。

一方、『アバター　伝説の少年アン』における火の国のナショナリズムは、繁栄のなかで火の王ソジンの感情から生まれたものであることがわかります。

ソジン「わが国はかつてないほど平和で豊かな時代を謳歌している。民は幸福に暮らし、われわれはあらゆる点で恵まれている」

ロク「いったい何が言いたいのだ」

ソジン「考えたのだが、この繁栄を全世界にまで広めるべきだ。史上最強の帝国はわれわれの手の中にある。それを拡大すべきときだ」

帝国を築くという願望は、自分たちの生活様式が失われることへの恐れから来るのではなく、自分たちの生活様式はすぐれたものであり、それを世界じゅうに広める権利、あるいは義務さえある、という正義感から生まれるものです。

けれども、ナショナリズムは、ほかの動機とはちがうふしぎな力で、物語のなかに自然に入ってきます。資源や安全確保に対する必要性は、かならずしも日々の生活のなかで身近なものではありません。希少資源のサクラダイトを必要とするのはブリタニア軍ですし、社会のあらゆる階層の人間がかかわるとしても、国境警備について対処するのは政府です。

これに対して、ナショナリズムはきわめて個人的なレベルで一般市民の考え方に浸透する力を持っています。そのなかには、日常生活に脈々と流れる伝統や儀式、思想が含まれます。横断幕や集会を使ってナショナリズムを表現するのは簡単ですが、より効果的なのは、登場人物の考え方を通して描くことです。滅びつつあるのは自分たちの伝統ではなく、すぐれているのは自分たちの価値観であり、繁栄をもたらしているのは自分たちの経済なのだ、という具合に。イスラム帝国初期のカリフ（最高権威者）制の拡大がまさにそうでした。カリフは強力な経済と学問文化を持ち、当時の科学と数学の革命をもたらしましたが、同時に統一的な宗教を持ち、だれもが同じように信仰すべきだと信じていました。

ナショナリズムは、人々が深く個人的なレベルで価値を置いてたいせつにしている伝統、哲学、宗教、生活様式を中心に展開します。そのことが登場人物の行動意欲、同じナショナリズム環境の出身者とそうでない者との関係、さらには、教育制度の運営といった社会的要素にどのように作用するかを頭に入れておく必要があります。

これは、人種差別や性差別が横行する帝国で、高慢な文化的環境のなかで育った主人公にとっての課題でもあります（ナショナリズムと人種差別、性差別、同性愛嫌悪などの発想を関連づけるものではありません）。なぜ主人公は、だれもが信じているはずのナショナリズムにもとづく差別的な考え方に背中を向けるのでしょうか。ふしぎなことに、主人公のこうした心境について、理由を説明する作者は多くありません。説明もなく、ただ自然に道徳心が芽生えていくだけです。『アバター　伝説の少年アン』では、火の国のズーコ王子の変化がみごとに描かれています。国家主義的な環境で育ったズーコが、教えこまれた先入観を打ち破るには、困難な道を経て自分を変えることが必要でした。彼はただ魔法のように生まれ変わったわけではありません。ズーコがナショナリズムの嘘に気づいていく姿は、物語の大きな見せ場のひとつです。第五一話「黒い太陽の日　その2　日食」から彼の台詞を読んでみましょう。

「わたしは何もかも学んだ。自分自身で学ぶしかなかった。子供の頃、火の国は歴史上最高の文明国家だと教わった。この戦争は、わたしたちの繁栄を世界中で分かち合うためのものだと。そんなの、とんでもない嘘だった。世界中の人々が火の国を恐れ、おびえている。繁栄を分かち合うどころか、憎まれている。なぜならわれわれは、世界に恐怖の時代をもたらした。このまま世界を破滅させたくなかったら、恐怖の時代を終わらせ、平和と優しさを取りもどさねば」

ナショナリズムの背後にある政治構造について考えてみましょう。アドルフ・ヒトラーやベニート・ムッソリーニのような比較的最近の歴史上の例から、ナショナリズムはファシズムにつながるものだと思われてもふしぎではありませんが、ファシズムはかならずしもナショナリズムの高まりにつづいて起こるものではありません。マハトマ・ガンジーが展開した運動は、インドにおけるナショナリズムと考えることができますが、ファシズムには至りませんでした。これは異例のことではありません。実際のところ、ナショナリズム運動には信じられないほど感情的で個人的な動機があるため、そうした感情を体現し、鼓舞するひとりの指導者が中心になることが多いのです。ナポレオンはフランス革命の価値観を支持する人物として多くの人に愛され、ヒトラーは義務、産業、規律、法律、主権、秩序といったドイツの価値観を提唱しました。こうしたことは、フランスでは革命後の混乱、ドイツでは第一次世界大戦後の混乱のなかで失われつつあると一般大衆が憂いていたものでした。

政府のトップに絶対的な存在がいてもいなくても、ナショナリズムは自然と中央に権力を集中させる傾向があります。ハリイ・タートルダヴの〈サザン・ヴィクトリー〉シリーズ（未訳）では、ファシストの自由党が水路の権力を掌握し、経済計画を使って、地方の権利や権限が弱体化するように仕向け、中央権力の有利になるような法律を制定します。これは現実のファシズム国家にも見られるパターンです。中央政府は法、文化、生活様式を強制し、これによって地方政府の力は弱まり、反逆できないようになります。

ナショナリズムにもとづく帝国は、ストーリーの緊張感に異なる焦点を生み出します。国全体において特有の生活様式を作り出すという、ほかのタイプの帝国にはない内面的な焦点を持つ傾向があるのです。ここではっきりさせておきたいのは、ナショナリズムと愛国心は同じイデオロギーではないということです。一方はこうした傾向とのあいだに固有の歴史的なつながりがあって、他方にはありません。ナショナリズムにもとづく帝国の一員でありながら、それに従わない人々はどうなるのでしょうか？　ナショナリズムにもとづく帝国のなかには、これについて何もしない国もあるかもしれません。その国では、国家とともにある個人に対して広い範囲の自由が許されるのかもしれません。けれども、歴史的には追放からホロコーストまで実際に起きています。作品で描く帝国がこの内部での対立にどう対処するかは、作者にかかっています。

ナショナリズムにもとづく帝国は、ときにひとりの人物を中心としたファシズム運動を引き起こしますが、かならずしもそうということではありません。また、中央に権力が集中することも多くなりますが、その結果、第15章で述べるようなコミュニケーションと支配をめぐる問題が生じます。また、ナショナリズムにもとづく帝国では、国家の方針に市民が順応するかどうかという国内の問題に焦点を当てることができますが、資源や安全確保をベースにした帝国では、母国内と国外の人々の対立に焦点を当てることが多くなります。

帝国はいかにして拡大するか——技術力の勝利

ローマ人はすぐれた軍事戦術によってヨーロッパの部族を簡単に征服しました。イギリス陸軍はマスケット銃で先住民族を圧倒しました。『アバター　伝説の少年アン』では、火の国の工業化された経済、蒸気船、機械化された攻城兵器の前に、土の王国に勝ち目はありませんでした。B・V・ラーソンの『スチール・ワールド』（未訳）に登場する銀河帝国は、地球を強制的に併合しました。おもしろいことに、SFには、戦術よりもすぐれたテクノロジーで征服する帝国がたくさん登場します。

あなたの物語が、帝国が置かれている紛争に焦点を当てる場合、技術力の差は複雑な要因となります。正統カリフの拡大がナイル川デルタ地帯の城壁都市によって一時的に遅らされたことはその例です。その地形での戦いを容易にできる攻城兵器も技術もなかったからです。著者としてのあなたは、帝国がこうしたことに対処するためにどのように進化するのか、あるいは後退するのかということに答えられる必要があります。

技術や戦術の差は、帝国の形を決定する要因にもなります。帝国は、対等に戦える敵に立ち向かうよりも、すぐれた技術や戦術で容易に占領できる場所へと拡大していくはずです。もしあなたの帝国が、自分たちよりも技術的に進んだ民族を取りこむことに成功したなら、読者は納得しないでしょう。

まとめ

1. 多くの帝国が資源を求めることを動機として建設されます。特定の資源がどこで採れるかによって進出先が決まり、経済の種類によって進出方法が決まります。本国の気候や地理も考慮すべき要素です。貴重な資源を支配することで、帝国にとっての中心地ができることもあり、その多くは島です。
2. 自国民を団結させたり、敵の土地を占領して自国を守ったりなど、安全確保を動機とした帝国建設もあります。防衛可能な国境線、祖国のための緩衝地帯、戦略的支配点が、帝国の拡大先を決定します。こうしたものは島よりも陸地にあることが多くなります。また、資源を貯蔵することで国内の安全確保を図ることができます。

3．争いや繁栄をきっかけに生まれたナショナリズムによる帝国もあります。一般市民が誇りに感じたり、失いつつあると憂いたりする感情や思想を体現する精神を示すことが重要です。ナショナリズムの環境で育った主人公が困難な問題に直面することにより、内的な緊張の高まりに焦点を当てた物語が生まれやすくなります。ナショナリズムにつづいてファシズムが生まれることもありますが、かならずしもそうとはかぎりません。

4．ほとんどの場合、帝国は吸収した相手国に対して戦術的あるいは技術的に優位に立ちます。

注

＊1　第14章から第16章の歴史監修は、ヒューストン自然科学博物館の学芸員で、エジプト学および中東文化遺物担当のトラヴィス・フックスにお願いしました。

＊2　これはイギリス帝国がどのように拡大したかをごく簡単に述べたものですが、ある程度の真実があります。定住できる国々とは自国にとって非常に有利な貿易協定を結びましたが（多くの場合、香港のときのように暴力的に）、定住できない場所の住民は奴隷化しました。

第15章

帝国を
存続させる

本章で扱う作品

『巨獣めざめる』
〈王たちの道〉シリーズ
『神の目の小さな塵』
『一九八四年』
『ウォーハンマー40000』
ほか

帝国を存続させるものはなんでしょうか。惑星、銀河、大陸に広がる帝国は、SFやファンタジー作品に数多く登場しますが、その世界観となると、残念なことに、プロット上必要だからという理由で存続しているものがほとんどのようです。この章では、真実味がある帝国を築き、その崩壊を防ぐのは何かを三つのCに焦点を当てて見ていきます。帝国の三本柱と言える、Communication（コミュニケーション）、Control（支配）、Commerce（商業）の三つです。繰り返しになりますが、帝国の世界観を構築する際には、まず歴史上に実在した帝国について学ぶことが重要です。

コミュニケーション

帝国内でのコミュニケーションは、迅速かつ効果的にとれるように考えましょう。三つの異なるタイプのコミュニケーションがあります。

a．帝国内の異なる政府権力とのあいだ
b．政府と市民とのあいだ
c．距離が離れた市民同士のあいだ（これについては支配についての項で考えます）

内外からの小さな敵に対する帝国の最大の利点は、兵役につかせられる人間が多いこと、資源の備蓄があること、戦略や改革に活用できる人材が豊富であることです。けれども、効果的な運用と迅速な意思疎通を図ることができなければ、こうした利点も無に等しくなります。

軍隊

通常の国家よりも大きな国境を持つ場合、敵国と戦うには国内の部隊を結束させるために軍隊内で迅速かつ効果的に意思疎通をおこなうことが不可欠です。『レジェンド・オブ・コーラ』に登場する土の王国の軍事的指導者クヴィラの利点のひとつは、土の王国全域を磁気浮上式の鉄道で移動していることです。列車は司令部の役割も果たしているので、地方との意思疎通が迅速にでき、中央政府とも簡単に連絡がとれます。これによって、部隊を素早く動員して敵国の脅威に対応することができます。

資源

干ばつや飢饉の際に資源を運用する能力がなければ、暴動や無秩序状態、さらには反乱が起こることになります。ローマ帝国が滅亡した理由は無数にありますが、ローマ以外の中心都市が力をつけていったことで、求心力が低下し、西ローマ帝国における資源の運用がむずかしくなったことが一因と考えられています。飢饉や疫病に襲われた都市ローマには対処できる能力がなく、発生した暴動はやがて紀元四一〇年のローマ略奪へとつながりました。

市民

国民とのコミュニケーションは、政治経済に関する政策の統括と実施に不可欠なものです。法改正、外出禁止令、新しい税制、プロパガンダを周知させ、国じゅうから意見や民主的な投票を集める能力がこれにあたります。帝国が効果的なコミュニケーションを維持する方法も考える必要があります。これは帝国が置かれた状況によって大きく異なります。ローテクな世界の陸地にあなたの帝国があるのだとしたら、「すべての道はローマに通ず」ということばを思い出してください。ローマ人は、コミュニケーションと協調を念頭に置いて、帝国全土に広大な道路網を敷設しました。工業化時代には、列車や電信が信じられないほど重要な通信手段になりました。ジェイムズ・S・A・コーリイの『巨獣めざめる』では、地球、火星、小惑星帯のあいだのコミュニケーションに「タイトビーム」と呼ばれる太陽系じゅうに情報を送信できる大規模なレーザーを使用しています。

あなたのSFやファンタジーの帝国でどのような通信手段を使うのであっても、重要となるのは移動速度と情報量です。これにはつぎのふたつへの重要な効果があります。

a. 中央の意思決定の効率
b. 安定と自己統治への欲求

ふたつ目の効果については、支配に関する項で考えていきます。帝国の世界観を構築するとき、帝国じゅうを行き交う情報の速度と量によって、だれがだれに報告するか、どこに拠点を置くか、どのような情報を届け、対応にどれだけの時間を要し、それにもとづいてどのような決定をくだすかという、政府の方針が決まります。帝国とは、巨大で厄介な生きものがあちこちに隠れているようなものです。法、経済、政治に関するすべての決定をくだすのが皇帝や王などの唯一の権力者だとすれば、その権力者がおこなう決定事項が増え、それを各方面へ伝えるための時間がかかるため、コミュニケーションや行政が滞る可能性が高くなります。コミュニケーションが遅く、政府が多くの情報を送ることが困難であれば、事態はさらに悪化します。

ゲーム〈The Elder Scrolls〉シリーズで、タイバー・セプティムが創設した帝国が成功した一因に、強力な中央政府を置くのは非効率だと認識したことがあります。馬を使って伝達することが多かったため、迅速で効果的な情報伝達ができなかったのです。その結果、地方分権が進みました。皇帝が最高権限を持つ一方で、地方は法を守ることを前提に独自の判断をくだすことができるため、意思疎通と決定が迅速かつ効果的におこなわれることになります。皇帝自身がおこなう直接統治はほんの一部でした。問題が発生して、中央政府の判断が必要な場合も、皇帝が帝国の地理的中心に拠点を置いているため、決定は迅速に伝達されます。

その歴史上の好例が中国の清朝です。中央政府による決定は、戦争、税金、水路や橋梁のような大規模な産業プロジェクトに限られ、それ以外はほとんど地方の判断に委ねられました。大量の情報を伝達するには時間がかかるので、不景気、地権争い、刑事裁判といった地域の問題への対処は、地方政府に分散するほうが効率的だったからです。これとは対照的に、帝国全体で迅速で効果的なコミュニケーションがとれる場合は、中央集権が可能になります。

マジックシステムとコミュニケーション

ここまで読むと、剣を携えた騎士が登場するファンタジーは、地方に権力を分散させた帝国を舞台とするほうが現実的だと考えるかもしれませんね。けれども、マジックシステムを使ってこの予想を覆す作者もいます。ブランドン・サンダースンの〈王たちの道〉シリーズでは、大量の文章をかなりの速度で遠方まで伝達する「スパンリード」という魔法の道具があり、王国内のどこからでも迅速に意思決定ができます。前線からでも指令を送ることができるため、この国の統治者たちは、戦いに集中することができるのです。

あなたの書く世界で、魔法使いたちが市民の心に思考を投影できるとしましょう。これはプロパガンダをおこなうのにどのような影響があるでしょうか？　また、反体制的な思想の蔓延を阻止しにくくなるでしょうか？国家はテレパシーを持つ魔法使いたちをすべて雇い、国のための活動家として、社会のエリート階級とするかもしれません。ストーリーのなかの空想的要素が、政府機関の運営方法をどう変えるかを考える必要があります。コミュニケーション能力によって任務の難易度が変われば、帝国は実戦に備えることもできれば、敵がつけこみやすい弱点ができることもあります。

内外の脅威に対して、政府の権力者たちがいかに迅速かつ効果的に対応できるかは、作者が帝国の設定をおこなう際のひとつの観点です。軍事力だけでなく、コミュニケーションにかかわる魔法、テクノロジー、行政といった要素によって、敵を出し抜けるかどうかが決まるのです。

支配

毛沢東は一九二七年、やや悲観的ながら現実を見据えて「政権は銃口から生まれる」と語りました。人類の歴史上どのような政府であれ、支配をおこなわなければ成り立ちません。大陸であれ惑星であれ、いくつかの帝国がしのぎを削る広大な国土では、その地域の支配権を主張する能力がぜったいに必要です。けれども、支配とはなんなのでしょうか。平たく言うと、税金を徴収することが支配ですが、それは帝国がどのように支配を維持しているかを表すものではありません。徴税はいわば対症療法であり、根本療法ではありません。

帝国は、異なる民族の集団をひとつの国家に併合することで形成され、それに反発する人々によって問題が起こります。反発するのは、ほぼすべて併合される側の人々です。このため、世界観の構築という点で、作者であるあなたが考えるべきことは、人々が帝国にとどまることを選ぶ理由です。なぜ税金を払うのか、そして、なぜ反乱を起こさないのか。帝国の一員でありたいという忠誠心や意志はどのようにして生まれるのでしょうか。

フィクションに登場する輝かしき悪の帝国が好む答え、それは恐怖です。人々が従うのは強制収容所を恐れるからです。けれども、これでは問題の答えにはなりません。恐怖の上に成り立つ帝国では、反乱を起こす動きが生まれていきます。巨額の費用がかかる大規模な軍隊に反発し、悪でしかない軍隊への入隊を拒む人々は少なからず出てきます。歴史的に見て、恐怖による支配をおこなった帝国が長くつづくことはありませんでした。

一方、歴史的に見て、成功した帝国は、平和的手段であれ、暴力による征服であれ、帝国の外にいるよりもなかにいるほうがましだと思わせることで、併合した民族の支配を維持していました。選択させるということが、存続する帝国の核心にある概念です。

これは、さまざまな方法で実現することが可能です。大英帝国はきびしい植民地支配をおこないましたが、経済的な機会と世界貿易への手がかりを得ることは、植民地化された国家の人々にとって魅力的でした。ニュージーランドのマオリ族はこの機会を利用し、自分たちが必要とする新たな原料物質、道具、武器を物々交換で手に入れることができました。[*1] モンゴル帝国のもとでは、市民の安全が守られ、宗教の自由も認められていました。古代ペルシアのキュロス大王は、奴隷を解放し、服従と引き換えに身体の安全と宗教の自由を保証したと言われています。

支配と物語

世界観の構築においては、人々が帝国に従う理由を物語のなかで表現する必要があります。登場人物の個人的な動機を描くのもよい方法です。『レジェンド・オブ・コーラ』で、ボリンが土の王国に加入したのは、争乱の時代に土の王国が食糧や物資を必要とする町に運んでいたからだとわかります。ボリンの思いやりのある性格から自然に生まれた動機です。『神の目の小さな塵』で、作者は、視点人物である帝国宇宙海軍中佐のロデリック（ロッド）・ブレインを通して、人々が帝国に従う理由を描きます。反乱を鎮圧する任務を率いるなかで、ロッドは帝国に背を向ける社会に何が起こるかを見ています。人々が帝国に忠実であったのは、帝国がなければ経済が崩壊し、無秩序な状態にもどるからです。帝国の将校であるロッドは心の内でこう語ります。

> 人類は一つの政府のもとに再統一されなくてはならない。説得によってそれがかなわなければ、武力に訴えることもやむを得まい。百年におよんだ分離戦争の悲劇は二度と繰返すべきではない。帝国軍の士官たちはみな、戦争がもたらす悲惨な結果を目のあたりにしている。学術機関が首都星ではなく、地球に置かれているのもそのためなのだ。
>
> （中略）市街の建物の窓はあらかた破砕されていた。群衆が街路にあふれていた。
>
> （池央耿訳、東京創元社、一九七八年、上巻二二一−二二二頁）

支配とは、貧しい農家を締めつけることだけではありません。独裁政権の場合、それは、独裁者を権力の座に就かせた人々に、その政権の一員でありたいと思わせることです。どのような権力構造にも階層形の組織は存在します。政府や社会のさまざまな階層にいるさまざまな人々が、帝国の一員であることを選ぶ理由は千差万別であり、支配階層は、みずからの権力の座をさまざまな形で支える多くの人々に対して責任を負う必要があります。『ダンス・ウィズ・ウルブズ』（一九九〇）や『ラスト サムライ』（二〇〇三）のようなストーリーでは、これを打ち破るようなキャラクターアークが描かれます。主人公が帝国を支持する動機が揺らぎ、しだいに性格が変化していきます。

帝国内はすばらしく、外界には魅力がないと思わせる

人々が帝国に住みつづける理由は、その帝国が魅力的だからだとはかぎりません。帝国に住まないことを魅力がないと思わせるほうが簡単な場合もあります。そのためのプロパガンダについて見ていきましょう。

ジョージ・オーウェルの『一九八四年』に登場する「真理省」についてはご存じの方も多いことでしょう。「真理省」とは矛盾した名前です。この省は、情報を改ざんし、危機を捏造して、全体主義国家であるオセアニア以外の世界がいかにおそろしく、邪悪であるかというプロパガンダをおこなっていました。国民は統制下におかれ、オセアニア国を絶対的に支持するようになります。ナチスや旧ソ連の例があるため、近代の歴史におけるプロパガンダとのかかわりを見ると、「プロパガンダ」を利用する帝国イコール「悪の帝国」だと思いがちです。けれども、プロパガンダには、アッカドのサルゴン〔人類最初の帝国を築いたと言われる古代メソポタミアの王〕までさかのぼる長い歴史があり、帝国を繁栄させるためには欠かせないものでした。領土拡張が民衆にどう見られているか、自分たちの敵が、そして自分たちの軍隊がどう見られているかを政府は強力に操る能力を持っています。たとえば、〈スター・ウォーズ〉シリーズでの分離主義勢力はどのように描かれていたでしょうか。自由と解放に立ちはだかる悪者であり、テロリスト以外の何物でもありませんでした。

一方、帝国の内部出身の登場人物を書くうえで、プロパガンダは奇妙な問題を浮き彫りにします。政府が反対

勢力や軍をどう喧伝しているか、だれもがうたがっていないのに、なぜその登場人物はうたがうのでしょうか？アーロン・イハス制作のアニメシリーズ『ドラゴン王子』の主人公カラムは、エルフたちがすべて悪者であり、エルフとの戦争は正当化されるという教えを信じていません。けれども、だれもが信じていることを、なぜカラムだけが信じないのか、その理由が示されません。まだ一四歳の少年がこのような慎重な分別を持つのは奇妙です。

プロパガンダの扱いについてのよい例が、『アバター　伝説の少年アン』にあります。火の国の王子ズーコは、火の国が世界に繁栄を広めているというプロパガンダを純粋に信じており、その嘘を見破るには長くつらい旅が必要でした。ズーコがついにプロパガンダを否定するのは、第五一話となる「黒い太陽の日その2　日食」です。

ズーコ「わたしは何もかも学んだ。自分自身で学ぶしかなかった。子供の頃、火の国は歴史上最高の文明国家だと教わった。この戦争は、わたしたちの繁栄を世界中で分かち合うためのものだと。そんなの、とんでもない嘘だった。世界中の人々が火の国を恐れ、おびえている。繁栄を分かち合うどころか、憎まれている。なぜならわれわれは、世界に恐怖の時代をもたらした。このまま世界を破滅させたくなかったら、恐怖の時代を終わらせ、平和とやさしさを取りもどさねば」

ほかに見抜く者がいないプロパガンダを簡単に見抜くことができる登場人物も悪くはありませんが、だれよりもはるかに賢く魔法のような力を持つ主人公は、読者に反発されかねません。それよりも、現実を見ることで性格が変化していくことを描いたほうがいいでしょう。けれども、魔法かテクノロジーかにかかわらず、人々が自分で自由に情報収集をできるようになると、プロパガンダの維持が困難になるのも事実です。そうなると、帝国がうわべを取り繕うことは、ますますむずかしくなっていきます。

自治と主権

人々が反乱を起こさない理由として、自治と主権というふたつの重要な概念が浮かんできます。歴史を通じて革命の原動力となってきたこの概念について、あなたの帝国はどのように対応しますか？

人間は、自分が選んだわけでもなく、文化的・社会的な共通性すらない見ず知らずの人々に支配されることを好みません。部族としての絆がある人々は、その部族の集団としての自治を望むものです。現代では、この部族的な結びつきを、同じ州、国家、あるいは大陸に住む人同士で共有していますが、帝国とは本来、多くの異なる集団を吸収することで成り立っているものです。

フィクションでは、ドラマ『ドクター・フー』に登場するダーレクの帝国のように、絶対的な恐怖によって支配するものもありますが[*2]、歴史的に見て、恐怖が長期的な行政戦略として機能することはほとんどありません。効果的なのは、実際に自治を認めることです。アレキサンダー大王は、征服した地方の支配者が税金を納めれば、その地位にとどまることを許可しました。これを作品で描く場合には、民衆を征服してもその敬愛する王の首は切らない、貴族の当主のひとりを統治者に任命する、中央権力の傘下にありつつも意思決定が許される民主団体を地方に作る、あるいは、市民権への道を与え、その過程で以前にはなかった恩恵が受けられるようにする、などといったプロットが考えられます。自分の住む地域で問題が起きたとき、その問題がきちんと対処されていると感じられることは、何よりも重要です。そのため、ある程度の地方分権を認めるほうが、帝国の権威が受け入れられるようになります。自分たちの土地や問題に対して主権があると感じられれば、めったに反乱は起こりません。

ここで、市民同士のあいだでのコミュニケーションのスピードと量が、政府による支配——安定と自己統治への欲求——にとって何を意味するか考えていきましょう。最先端のSFテクノロジーや高度な魔法では、長距離間の通信を非常に速くおこなうことが可能です。サンダースンの『エラントリス　鎖された都の物語』では、魔法が創り出した「セオン」と呼ばれる光の球がバーチャルアシスタントのような役割を果たします。ドラマ『スターゲイト　アトランティス』では、人類の先進種族エンシェントが宇宙に「スターゲイト」を敷設し、スターゲイト間に形成されるワームホールを通して何光年も離れた場所と瞬時にコミュニケーションをとることが可能でした。ここからつぎのことがわかります。

a．中央政府が即座に情報を受け取り、物事を決定できるのであれば、緊急性というものは存在しません。つまり、通信に時間がかかる場合のように、帝国を分散させる現実的な動機がなくなります。

b．情報がたやすく行き交う世界では、人々が「自分たちの部族」と考えるものが変わるにつれて、「自治」の概念も変わっていきます。移動が容易になり、瞬時にコミュニケーションが取れるようになることで、自分たちの村だけでなく、州や国家とのつながりを感じるようになるのです。

コミュニケーションが加速した結果、自分が属していると考えるコミュニティの規模が大きくなっても、「自治」の意識に変わりがなければ、多くの場合、中央政府も抵抗なく受け入れられます。かつては自分が住む小さな村だけを自分の居場所だと考えていたのが、自動車が発明されたことで移動が容易になり、身近だと思える範囲が広くなったのと同じです。

反乱

経済が好調で魅力ある帝国であっても、迅速な攻撃能力を誇る反乱軍が出現することはあります。国境線と領土が拡大するにつれて、内外からの脅威に迅速に対応できることが支配の重要な要素となります。帝国が迅速に部隊を動員できなければ、反乱軍がじゅうぶんな時間を使って戦闘能力を確保し、効果的な防衛手段を確立することが可能になります。

このことは、前に説明したコミュニケーションの要素と密接に関係しています。惑星や銀河系にまたがる帝国の場合、離れたところからくる敵に対して、迅速に対応できるかどうかが鍵になります。人々が反乱を起こすのをほんとうに防いでいるものはなんでしょうか。対策がなければ、恒久的に軍を駐留させることになりかねません。この問題を解決することによって、ゲーム『スタークラフト』に登場する知的生命体プロトスの帝国はすばやく応戦体制をとることができました。ワープゲートを使用することで、プロトスは軍隊を帝国周辺のどこにでもほぼ瞬時に移動させることができ、抵抗勢力が集結することを防ぎました。これと同様に、モンゴル帝国は軍隊を迅速に動員させられることで名高く、予想より数週間も早く攻撃を開始することができました。ローマ人は道路網を敷設することによって帝国全土へ迅速に軍隊を移動させることができました。あなたの帝国が税金を支払わない人々を速やかに鎮圧することができれば、将来反乱が起こる可能性は減るでしょう。

同化政策

同化政策も支配の方法のひとつです。これは、支配した民族を帝国の文化に同化させることです。多くの場合、以下のふたつの方法でおこなわれます。

a．イデオロギー（多くは宗教）を押しつけること。『ウォーハンマー40000』では、征服された人々は帝国正教（インペリアル・カルト）を熱狂的に信仰することを強いられます。同様に、初期のイスラム帝国では、イスラム教徒を優遇し、異教徒には人頭税の支払いを強要しました。

b．人々が団結できるような文化行事を作ること。ローマ帝国がコロッセオを建設したのは、ローマの国民的文化として、すべての市民が楽しめるような娯楽を提供するためでした。

支配した人々を、団結できるような活動や行事に参加させるうちに、新しい文化が育まれ、行事も根づいていきます。これによって人々は帝国の一員であると実感し、さらにはそれを誇りに思うようにさえなります。ただし、こうした行事を厄介なものにしすぎると、抑圧的になり、逆効果です。

商業

地域の経済的安定は、犯罪、反乱、あるいは平和の指標と言えますが、これには理由があります。よい仕事に就いて安定した収入があり、将来の見通しが明るければ、自国の海外での不正事件や政府上層部の汚職に対して、人々が見て見ぬふりをする可能性は高くなります。たいていの貧しい農民にとって、自分たちの税金がナルニア国へ行こうがテレタビーズの国へ行こうが重要ではなく、取り立てる相手が変わるだけなのです。

商業はコミュニケーションとも密接に関係しています。旅商人は歴史的に、遠くからニュースや頼りを伝えるメッセンジャーの役割を果たしてきました。帝国の大きな利点のひとつは、広い市場で売買できる機会があり、低い関税での取引が可能になることです。[*3] 離れた場所とコミュニケーションができるようになれば、取引が容易になり、市場の競争力が高まって、人々は経済的に豊かになります。

政府には死ぬまで税金を絞りとるよりももっと重大な役割があります。「自由主義の父」と呼ばれる一七世紀のイギリスの哲学者ジョン・ロックの『統治二論』によると、人々が市民国家――この場合は帝国――の一員であることを望む大きな理由は、国家が財産を保護し、貿易を促進するからです。歴史的な例を見てみましょう。清朝は、商人に免許を配布して、一般国民がだれを信頼すればよいかわかるようにしました。ローマ帝国は油などの品物に公式印を押して、人々がだまされないようにし、公正な裁判制度で他人に賠償請求ができるようにしました。これは自由経済が機能するためには欠かせないことです。

残念ながら、フィクションの世界で帝国が貿易を促進し、保護した例を見ることはあまりありません。ゲーム〈The Elder Scrolls〉シリーズに登場するシロディール帝国は、ローマ帝国をモデルにしているようですが、目新しいことは書かれていません。作品のなかで自分の帝国を差別化したい場合は、帝国がどのように商業を規制あるいは保護しているかを描くことで、独自のレンズを通した真実味のあるものにできるはずです。それによって、なぜ人々が帝国の一員であることを選ぶのか、なぜその国が存続しているのか、周辺の国々のなかでこの国がおこなっている独自のことは何かが明らかになります。

帝国と変化

真実味のある帝国の世界観を構築する際に忘れてはならないのは、帝国とはつねに変化するものだということです。ゲーム『ウォーハンマー40000』に登場する「人類の帝国（インペリウム）」がその例です。この帝国は一〇〇万を超える惑星から成る巨大なものでしたが、巨大さゆえに、団結することはきわめて困難です。帝国内にさまざまな敵対勢力があり、大規模な内戦によって帝国は凋落します。政治制度が破壊され、軍と経済は崩壊と再生を繰り返して、各勢力が領土を奪い合います。帝国は長きにわたって変化し、かつての姿は見られなくなりました。

ローマ帝国は結束力があって安定していたと思われがちですが、その歴史は動乱に満ちたものであり、ひとつの国家と言い切れるほど単純ではありません。さまざまな要素がからみ合っています。何百年、何千年にもわたって、権力の座をうかがう勢力が挑戦と挫折と改革を繰り返してきたのです。歴史とは複雑なものであり、すべてに安定した帝国などどこにもありません。

国境、宗教、政治、経済、文化など、帝国のすべてが変わっていきます。この変化を描くには、過去の形跡を示すものがあるとよいでしょう。聖人の記念碑をもとにかつて支配的だった宗教を描くことや、市場の遺構をもとにかつて帝国が奨励した貿易を描くことができます。道路の遺構は、いまは枯渇した鉱山へ行くためのものだったかもしれません。

コミュニケーション、支配、商業の三つのCのいずれかを失いはじめると、帝国には亀裂がはいり、やがて崩壊への道をたどります。ストーリーのなかの出来事が三つのCのそれぞれにどのような影響を及ぼし、帝国のあり方をどのように変えていくかを考えましょう。反乱軍が「不倶戴天(ふぐたいてん)の敵」と見なすものを滅ぼしたにもかかわらず、帝国のコミュニケーション能力や資源の運用能力に何の変化も見られない場合、劇的に見えるその出来事は帝国の存続に対してなんの影響も生まなかったことになります。これでは読者は納得しないでしょう。帝国の崩壊については第16章でくわしく説明します。

まとめ

1. 帝国内を統括するには、帝国全体のコミュニケーション速度と情報量が重要です。これには魔法やテクノロジーを利用することができます。コミュニケーションが遅いと、多くの場合、権力を分散することになります。
2. マジックシステムが政府のあり方や政府が直面する問題にどのような影響を与えるか考えましょう。
3. 帝国による支配の方法としては、恐怖による支配のほかに、その一員であることを選択させる、国内外についてのプロパガンダ、自治や主権を認める、同化政策をおこなう、などがあります。軍隊を迅速に動員し、資源を運用する能力は、支配をおこなううえで非常に重要です。市民同士のあいだのコミュニケーションが迅速化することで、中央集権が受け入れられるようになります。
4. 健全な経済は帝国の安定の指標であり、市場が広がることにより国民の生活が豊かになります。成功した帝国は多くの場合、財産権を保護し、貿易を促進します。
5. 帝国の文化、経済、政治、宗教は変化するものであるため、その変化を描写に取り入れると、真実味のある世界観を構築することができます。

注

＊1　マオリ族はイギリスから過酷な扱いを受けた部分もあり、特に土地の取引については公平におこなわれたわけではありませんでした。

＊2　憎悪以外の感情がなく、自分たち以外のすべての生命の抹殺を考えているダーレクがどのようにして帝国を維持しているのかわかりませんが、どうやら存続できているようです！　帝国の最低要件のひとつは人間です。

＊3　多くの帝国が、征服した国々に意図的に高い関税を課して、領主からは購入しやすく、地元の靴店からは購入しにくいようにしました。こうして母国に富がもたらされました。

第16章

帝国の崩壊

本章で扱う作品

『ハンガー・ゲーム3　マネシカケスの少女』
〈氷と炎の歌〉シリーズ
『アバター　伝説の少年アン』
『ウォーハンマー40000』
『一九八四年』
ほか

現実と革命

悪の帝国は輝かしい革命によって崩壊する、と想像しがちですが、現実には帝国は長い年月をかけてゆっくりと弱体化し、衰退していくものです。革命が起こるのは、その最終幕にすぎません。これについてはのちほど見ていきます。東ローマ帝国（ビザンツ帝国）は、数千年かけて衰退しました。西ローマ帝国は、二世紀にわたって経済、軍事、政治に関して発生した無数の問題によって崩壊しました。モンゴル帝国は継承争いを経て四つの国家に分裂し、それぞれの国家もその後一世紀にわたる数々の争いによって消えていきました。大英帝国は脱植民地化によって六〇年近くかけて衰退していきました。イスラム帝国のウマイヤ朝は、二〇年間にわたる経済および政治の衰退ののち、アッバース朝によって滅ぼされました。

革命によって倒される帝国の世界観を構築する場合、通常それに先立って、経済不安、文化の分裂、政治環境の変化が長期間つづくものであることを頭に入れておいてください。実際、こうした難局によって勢いを増した革命に人々が参加していくのです。最初は小さかった亀裂が少しずつ勢いを増しながら広がっていき、やがて一気に崩壊します。映画やドラマでの描かれ方とはちがい、帝国が弱体化するまで革命は起こりません。

革命についてのストーリーを書くのであれば、一般市民レベルでの経済状況の変化や、帝国が国境を維持するための闘い、政府の派閥争いを描くことで、ストーリーを真実味があるものにできます。革命はどこからともなく発生するのではありません。さまざまなことの積み重ねによって、ついに革命に至るということを表現しましょう。

例外となるのはナチス・ドイツのような短命の帝国で、驚くほど早く崩壊が進みます。これにもさまざまな理由がありますが、急速に拡大する帝国は、多くの場合、戦争経済が永遠につづくことを見こんでいるからです。帝国を維持するだけの内部経済や安定性を持たないため、拡大が行き過ぎるか、反撃に遭うことによってそれ以上の拡大が見こめなくなります。こうしてやがて急速に崩壊することになるのです。

作家として悩ましいことは、これによって帝国の脅威が弱く感じられることです。スーザン・コリンズの『ハンガー・ゲーム3　マネシカケスの少女』で、首都キャピトルは反乱軍との戦いで最初からほとんどすべて負けており、革命がはじまった時点で弱点をさらけ出しています。そのため、物語の緊張感に問題があるにもかかわらず、現実的に感じられます。これを認識した作者のコリンズは、反乱軍がキャピトルに対して勝利するかどうかではなく、登場人物が生き残るかどうかと、反乱の方法をめぐる道徳観によって物語の緊張感を高めています。反乱軍の兵士であるゲイルは、勝利のためなら子供や民間人が犠牲になってもかまわないとし、キャピトルに抵抗する第一三地区のコイン首相は、復讐のためにキャピトルの子供たちにハンガー・ゲームをさせることを提案します。読者が予測できないこと、あるいは強い意見を持つはずのことを考え、それによって物語の緊張感を高めましょう。感情的かつ知的な反応を呼ぶはずです。

継承争い

子供は親が築きあげたものを台無しにします——帝国もその例外ではありません。帝国政府は、特に初期においては、最高指導者の嫡出子に大きく依存します。ナポレオン・ボナパルト、アッカドのサルゴン、アレキサンダー大王の一族などがその例です。中央政府をまとめるにあたって、貴族や元老院議員、地方貴族、政府高官など、国家の権力構造にある者と、国民とがともに納得できる者です（これには、例として挙げたのと同じくらい例外があるので、絶対的な真理だとはとらないでください。とはいえ、考察に値するテーマです）。このような権力体制では、新しい人間が継承者となるのは不可能に近いものです。

後継者が決まっていない場合

モンゴル帝国を統一したチンギス・ハーンの死後、その中央権力の正統性は揺らぎはじめました。四代皇帝モンケ・ハーンが後継者を指名しないまま一二五九年に急死すると、弟のクビライとアリクブケが帝位を争って内戦が勃発しました。チンギス亡きあと、帝国の市民や継承権を主張する人々のあいだで、だれが皇帝にふさわしいかについての合意が得られず、帝国は四つに分裂しました。こののち、帝国は領土を徐々に失っていくことになります。

帝国が後継者をどのように選ぶかは重大な問題となります。ジョージ・R・R・マーティンの〈氷と炎の歌〉シリーズでは、王エイゴン四世が落とし子（私生児）を正統の子として認め、伝統的に王位継承者に与えられてきた剣（エイゴン一世の剣）を与えました。エイゴン一世は征服王と呼ばれ、七王国を統一した建国の父です。この行動は王国を一時的に分裂させ、正統の継承者に対する数々の反乱が起こりました。支配者が帝国の建国者である場合、つまり後継者の選出方法に前例がないとき、あるいは支配者が型破りな方法で権力の座についた場合、問題は複雑になります。多くの場合、征服によって得た権限でみずからの後継者を選びますが、民主的な選挙による場合もあります。その支配者が民主的な方法で選ばれたのであれば、後継者も同様の方法で選ばれるべきなのか、それとも支配者が後継者を指名するべきなのでしょうか。あなたの世界ではどのような伝統や象徴が人々に認められ、尊重されているのか、また、権力を移譲する際に帝国を弱体化させる可能性はないのか、よく考えましょう。

多くの後継者で分け合う場合

帝国の中には、意図的に多数の後継者で分割するものもあります。フィクションの世界ではあまり見られませんが、実際の歴史においてはカロリング帝国というよい例があります。ルートヴィヒ一世は、三人の息子たちを皇帝とし、大ざっぱに言うとフランス、ドイツ、イタリアの国境と似た線に沿って帝国を分割しました。[*1] 協力的な政治組織となることを意図していたとはいえ、分割されたすべての地方をひとつの帝国としてまとめる中央政府がなかったため、政治的結束はすぐに崩れ、帝国は崩壊して多くの王国に分裂しました。複数の人間が権利を主張し、内部から崩壊したのです。

権力の座からの追放

人間はひとりでは生きていけません。このことを理解していない支配者が、長く権力の座にいることは不可能です。絶対的独裁者ともなれば、忠実だった側近からの裏切りを受けることもありえます。残念なことに、フィクションの世界では、皇帝、国王、最高指導者たちが権力の座にとどまっている理由が、プロット上で必要だというだけで、論理的根拠が書かれていないことがほとんどです。現実には、権力者がその座にいられるのは、軍部、裕福な後援者、国会議員、政府高官、領主、貴族、元老院議員など、権力者を支持することでなんらかの利益を得られる支持者が数多くいるからです。

『アバター　伝説の少年アン』の土の王国では、政府の書記長ロン・フェンが実権を握っています。第三四話「都の壁とその秘密」の一場面を見てみましょう。

ロン・フェン「陛下にとって何よりも重要なのは、王都バーシンセーの文化遺産を維持することです。それに関する法令の発布が陛下のおつとめ。そのほかのことについて監督するのはわたしです。軍事活動も含めて」
カタラ「じゃあ、王は名目上だけ？」
トフ「あやつり人形だ！」
ロン・フェン「いいえ、そんな、まさか。陛下は王国の象徴。国民にとっての神です。きりのない戦争のために、お手をわずらわせてはなりません」

ロン・フェンは、いま戦争がおこなわれていることすら王には隠しています。土の王からの厚い信頼によって権力を握っているロン・フェンですが、その意向を市民に強要するのは秘密警察ダイリーです。けれども、ダイリーはやがて、火の国の王女アズーラをロン・フェンよりもすぐれていると見なし、指揮官に選びます。攻撃を命じても従わないダイリーにロン・フェンは大きな屈辱を味わいます。この瞬間、ダイリーは新たに「絶対的」指導者を選んだことになります。同じような例は、オスマン帝国のイェニチェリにも見られます。イェニチェリとは、皇帝の親衛隊であるエリート歩兵軍団ですが、しだいに政界で大きな影響力を持つようになります。イェニチェリはスルタン（君主）を選ぶ際にも暗躍し、イェニチェリの影響力を弱めるような人物はすぐに抹殺されました。次期絶対権力とは、奪うものではなく、与えられるものなのです。
あなたのストーリーが帝国崩壊にまつわる政治ドラマをめぐって展開するのであれば、つぎの問いについて考えてみましょう。

1. あなたの帝国で現在の権力体制を維持している派閥はどこか？
2. なぜ彼らは現在の権力体制を維持しているのか？
3. 彼らが考えを変える動機となるものは何か？

けれども、権力者の追放が帝国の崩壊につながることが多い理由は、その余波にあります。現在権力を握っている人物を排除することに関係者たちが合意することはあっても（すべての関係者が全面的に合意する保証はありません）、後継者をだれにするか、あるいは、つぎにどのような政治体制をとるべきかについて合意する保証はありません。前の権力者を追放した者たちのなかから後継者が選ばれることによって、事態はより複雑になります。多くの場合、有力な一族の領主や夫人が王位に就きます。ブルータスとカシウスをはじめとするローマ元老院の議員たちは、シーザーを暗殺し、権力の座から追い払いましたが、それによって「解放者の内戦」と呼ばれる血なまぐさい戦いが勃発します。シーザー亡きあと、どの政府機構が取って代わるべきかを人々が争い、帝国は分裂寸前まで追いこまれました。独裁色を強めていたシーザーを追放しても、すぐに平和と繁栄がもたらされるわけではなかったのです。

継承争いが生じるのは、はっきりした正統な後継者がいない場合、正統な後継者が複数いる場合、現支配者の正統性に疑問が呈された場合です。第一の場合は後継者となりうる者たちのあいだで対立が起こり、第二の場合は中心となってまとめる政府がなければ成り立たず、第三の問題では、どの政治体制にすべきか、だれがその一員となるべきかをめぐる論争が起こります。権力がどのように移譲され、正当化されるかを考えることは極めて重大な問題です。ブランドン・サンダースンの『ミストボーン　霧の落とし子』に登場する支配王は、こうした問題とは無縁です。魔法の力によって老いることがない支配王は、千年にわたって統治をつづけており、帝国が継承争いに悩まされることはありません。

コミュニケーション

第15章では、三つのCが帝国の繁栄に不可欠なものであることを確認しました。必然的に、これらのひとつでも失われれば、帝国は崩壊する可能性が高くなります。コミュニケーション能力を失うと、帝国は領土全体を統括し、防衛する能力を損なうだけではなく、市民と経済を効率的に管理することもできなくなります。ゲーム『ウォーハンマー40000』では、アストロノミカンと呼ばれる超能力による信号灯によって、帝国が広大な銀河全域を行き来し、通信することを可能にしています。航宙士（ナビゲーター）はアストロノミカンを感じ取ることによって〈歪み（ワープ）〉空間のなかを航行することができます。これによって、人間の帝国は銀河系全体を統治し、内外の脅威に対応するための人員と資源を運用することが可能になります。ところが、大きな異変によって帝国はアストロノミカンの導きを失います。個々の惑星は孤立し、帝国は援助を必要とする人々と連絡を取ることができなくなりました。多くの惑星が壊滅的な被害を受け、帝国の監督下を離れて新しく手にした独立を行使しようする惑星もありました。帝国全体は事実上分裂し、完全な立て直しが必要となりました。

おもしろいことに、この逆、つまり市民同士のあいだにコミュニケーションがありすぎる場合もまた帝国の崩壊につながる可能性があります。アメリカ大陸の第一次植民地は、その大部分が比較的独立した存在であり、公式の通信網ではなく、貿易を通じてコミュニケーションをとっていました。通信網が発達し、郵便制度が導入されたことにより、各植民地が個々に英国王室と連絡を取り合うだけでなく、植民地同士が連絡を取り合えるようになります。革命への道筋において、アメリカ人が税金や関税に反対したとき、この通信網があったことにより、資源や人員を調整し、反乱のための効果的な取り組みをおこなうことができました。[*2] 各植民地は単独では勝ち目がありませんでしたが、市民同士のあいだのコミュニケーションが活発になることによって、大英帝国からの離脱が可能になったのです。

支配

帝国が滅びる理由は、支配者を失うことだけではありません。第15章で論じた支配の方法、すなわち恐怖、プロパガンダ、自治、優遇、同化政策を失ったとき、帝国は滅びます。これらを失えば、税収、資源、商業、軍人が失われ、軍隊を動かすことができなくなります。それこそが帝国の崩壊を引き起こすものです。

ジョージ・オーウェルの『一九八四年』の舞台である全体主義国家オセアニアは、プロパガンダによって国民が国家の一員であることを強く願い、国外の人間を恐れるよう仕向けていました。主人公ウィンストンは、これにうたがいを持つようになります。革命家の書いた禁断の書を手に入れた彼の疑念は確信に変わっていきました。けれども、反政府運動に強く惹かれていったウィンストンの思いはやがて体制側の知るところとなり、激しい拷問を受けた彼はたったひとりの仲間である愛するジュリアを裏切ることになります。ここから興味深いことがわかります。国家のプロパガンダが成功するのは、国民が国内外の実情を知るための情報源が国家しかないからなのです。帝国の崩壊について書く際には、市民同士が実際にどの程度つながっているのか、そして世界の実情に関する情報についてどの程度国家に依存しているのかを考えましょう。これはまた、SF世界ではプロパガンダの失敗が帝国の崩壊につながる可能性が高いことを意味しています。対照的に、中世においては、一般市民が帝国内のほかの地域について知る唯一の情報源は、たまにやってくる旅行者と自身が所属する政府しかありません。比較するものがないのです。

中央への権力の集中度は、帝国の建設と存続にとってきわめて重要であり、当然、帝国の崩壊への道筋にも関わってきます。建国初期には、その地域の支配を確立するためには極端な中央集権が不可欠と言えます。『君主論』で有名な政治思想家、マキャベリもそのように語っていますが、これは長期的には弊害となる可能性があります。特に平時には、市民からの中央集権的な政府を求める声は小さくなります。中国の清朝が崩壊したのは、極端な中央集権を進めたことが原因でした。法律至上主義的な理性的アプローチ、標準化した文化の強要、厳重な処罰、大規模な産業プロジェクトの推進、西洋式軍隊の整備によって中央政府の権力を増大させた一方で、地方の問題は未解決のまま放置しました。完全に疎外されたと感じた抑圧された国民は反乱を起こし、王朝は崩壊へと至りました。

ローマ帝国、モンゴル帝国、そしてアレキサンダー大王などは、中央政府に欠陥があったため、行政権の多くを地方に委ねました。けれども、帝国とは移ろいやすいもので、中央から権力を剝奪しすぎても衰退の原因となることがあります。「何もしない王冠をかぶった男にいったいなぜ税金を払わなければならないんだ」という疑問が地方で湧きあがってくるからです。これは中国の戦国時代に周王朝が滅びた理由のひとつとして挙げられます。地方分権を進めすぎたため、秦、齋、楚の周辺三国に比べて周王朝の権力は弱いものでした。三国は基本的に独自の軍事機構と組織を持ち、独自の農業部門を管理していました。このふたつは権力を維持するうえで重要な役割を果たすため、通常は中央当局が保有するものです。やがて、中央の影響力はなくなり、帝国は崩壊しました。

崩壊に向かう帝国の世界観を構築する際には、中央政府が支配を維持するためにどんな力が必要で、それを失った場合どのように帝国が衰退するかを考えましょう。統一された軍隊は通常、最も基本的でうたがう余地のない力ですが、経済に関連する力も重要度は変わりません。あなたのフィクションの世界では、どのような力が歴史を変えるでしょうか。貴重な資源に課税する力や先端テクノロジーを生産する力、あるいは魔法学校を運営する権力を地方に譲ったらどうなるでしょうか。その結果、地方が豊かになり、中央権力に対抗できるようになるかもしれません。中央政府ではなく地方に忠誠を誓う魔法使いの集団が生まれるかもしれません。帝国を支える基礎となる力は帝国によって異なります。この力とはどのようなもので、それを失った場合はどうなるかを表現することで、あなたの帝国はほかにはないユニークなものになるはずです。

文化や伝統、言語が異なる多種多様な人々をまとめるのは困難なことですが、これに対処する方法として、帝国に統一された文化を作ること、すなわち、同化政策によって安定を図ることがあります。これには、大英帝国がニュージーランドのマオリ族におこなったような、固有の言語や文化への容赦ない弾圧から、ローマのコロッセオのように人々を団結させるような文化事業まで、さまざまなものがあります。ローマ帝国の衰退期には、多くのゲルマン民族が帝国に吸収されましたが、かつておこなったように、外国人を帝国に同化させる政策はとられませんでした。このため、帝国が軍隊を維持するために頼ったゲルマン人の傭兵は、自分たちが帝国の一員であるとは考えていませんでした。そして、ローマ帝国は滅亡への道をたどりました。同化の方法はふたつに分けられます。

1．肯定的同化　外国人が帝国の文化に同化するように、一体感を持てるような文化習慣を外国人の生活に加えます。

2．否定的同化　外国人の固有の文化を禁止します。

ある民族の文化を過度に、あるいは急激に帝国に合わせようとすると、大きな反発を招きかねません。他人に命じられたように生きるよりも、自分らしく死ぬことを選ぶ人間は少なくないはずです。

分離独立の連鎖

ある民族の分離独立が、周囲の民族の分離独立の引き金となることは珍しくありません。モンゴル帝国を構成していた各ハン国は、周囲の民族が反旗を翻すのを見て、自分たちも支配権を取りもどそうとしました。モンゴル帝国は、彼らの固有の文化をないがしろにすることも、モンゴル文化への同化を強要することもなかったので、モンゴル帝国に完全に同化することはなかったのです。ソビエト連邦の崩壊もこの例と言ってよいでしょう。連邦を構成していたいくつかの共和国が脱退し、ゴルバチョフ大統領の中央集権体制が崩れると、その他の共和国も次々と脱退を宣言しました。二年足らずのあいだに一五の共和国がすべて独立したのです。

消極的な選択

消極的ながらも選択するよう促すことこそ、帝国に最も必要なものかもしれません。つまり、帝国の一員となることが、ならないよりましだと判断させることです。これをおこなうには、自治を認めること、同化政策、プロパガンダ、強制、その他の方法が考えられます。消極的な選択が帝国の崩壊につながった例としては、ゲーム〈The Elder Scrolls〉シリーズのエルスウェーアが挙げられます。惑星ニルンのエルスウェーアに住むカジート族は、文化の面でも宗教の面でも月の満ち欠けに強い影響を受けています。ヴォイドナイトと呼ばれる出来事で、ニルンのふたつの月、マッサーとセクンダが消えたときには大混乱が起こりました。カジート族にとって、それは深刻な経済不況と政治的混乱を意味したからです。自分たちの生き方を守ってくれるはずだったシロディール帝国への信頼は薄れていきました。現実の脅威から自分たちを守ることもない、遠く離れた場所にいる者たちに仕える理由などありません。のちに同盟勢力アルドメリ・ドミニオンが月を取りもどしたのは自分たちだと主張したとき、カジート族のなかでドミニオンに加わろうという動きが起こりました。自分たちを守ってくれる同盟にはいることを選んだカジート族は、第七紀ごろシロディール帝国から離脱し、帝国崩壊の一因となりました。

　帝国の一員であることを選ぶ理由は人それぞれです。経済的機会、宗教の自由、安全の確保などが考えられますし、みずからの生活様式を守るためという人もいることでしょう。あなたのストーリーで起こる出来事が、登場人物の個人的な動機にどのような影響を与え、どのように彼らを変化させ、その変化がどのように広まるかを考えてみましょう。自分たちの生活様式が脅かされたと感じたのがたったひとりであったなら、その地域が分離独立することはないでしょうが、大きな集団がそのように感じた場合にはありえます。

商業

　帝国であれ、労働組合運動を重視する無政府主義の共同体であれ、不可欠なものは商業です。歴史的に見て、程度の差こそあれ、政府体制が変わる前には経済の危機がかならず起こります。これにはふたつのレベルがあります。

a．政府に資金がない。

b．国民に資金がない。

帝国が機能し、裕福であるためには、各地域がつながり、多様な商品が競争力のある価格で売買できる自由な取引が重要です。けれども、つながっていることは諸刃の剣でもあります。多くの人々の経済的展望が結びついているため、一か所で経済危機が起こった場合、広範囲に影響が及ぶからです。それでは、経済の悪化はなぜ起こるのでしょうか。経済情勢が不安定になると景況感が低下し、景況感が低下すると国民は消費よりも貯蓄にお金をまわします。国民がお金を使わないと市場に循環する資金が減って経済が停滞し、経済情勢が不安定になるという悪循環に陥ります。こうして国民は不幸になり、経済は破綻への道をたどります。

崩壊目前だった東ローマ帝国（ビザンツ帝国）は、財政が破綻し、防衛資金を調達することも、飢饉の際に必要な食料を購入することも、政府の建物を修理することもできませんでした。一四五三年、オスマン帝国の侵攻によってコンスタンティノープルが陥落し、東ローマ帝国は滅亡します。皮肉なことに、このとき使用された大砲を開発した技術者は、当初東ローマ帝国に売りこんだのですが、経済的余裕がなかった東ローマ帝国は応じることができなかったのです。当時、国内では緊張は高まり、時の権力者に対する暴動が頻繁に起きていました。

景気悪化の影響は国の内外に及びます。

1．経済不安になると、民衆の反乱や離反が起こりやすくなり、帝国が内部崩壊する可能性が高まります。

2．政府の歳入が減ると、国境を守ることができなくなり、外部勢力の侵入や地方の離反によって、対外的な力が弱まります。その結果、帝国に対する信頼は大きく低下します。

疫病

帝国が想像すらしていない敵、それは疫病です。ローマ帝国が滅亡に至ったのは、複雑な政治的・社会的理由によるものですが、衰退の一因となったと言われるのが、帝国末期の数世紀に三回発生したパンデミックです。「アントニヌスの疫病」と呼ばれる天然痘、「キプリアヌスの疫病」と呼ばれる出血熱、「ユスティニアヌスの疫病」と呼ばれる腺ペストによって多くの人命が失われ、経済の拠点であるはずの都市部から人々がいなくなったため、商業や貿易が停滞しました。通信網の速度も大幅に低下し、軍隊も一時的に縮小して、帝国は国境の防衛力を失うことになります。これによって、帝国に対する国民の信頼は大きく弱まりました。

ＳＦ作品のなかで、帝国の滅亡をほかにはない形で描くのであれば、経済、通信網、政府機構を麻痺させるような銀河系規模のパンデミックを考えてもいいかもしれません。疫病の影響は歴史やファンタジーの世界に追いやられがちですが、微生物によるパンデミックであればけっして見当ちがいではありません。抗生物質は使いすぎると効かなくなると言いますが、それによって感染リスクが高まっているとも考えられます。全人類を死に追いやる運命にある超進化ウイルスが宇宙から飛来するかもしれません。あるいはごくふつうのウイルスによって人類が滅亡するかもしれません。あなたならどんなストーリーを考えますか？

帝国崩壊の余波

健全で平和的な帝国の崩壊を描くストーリーには嘘があり、真実味が感じられません。政府の問題点について意見が一致するのは簡単かもしれませんが、その政府を倒したのちにどうすべきかについて意見がまとまるのはむずかしいことだからです。邪悪なものであったかどうかにかかわらず、帝国が突然崩壊したあとにはさまざまな余波がつきものです。植民地は、そして帝国の社会福祉制度に頼っていた人々はどうなるでしょうか。崩壊は人々が敵視していたものを解体する一方で、社会が依存する支援システムも解体してしまいます。

ジーン・ヤンの『約束』（未訳）は、『アバター　伝説の少年アン』の後日譚となるコミックで、火の国による一〇〇年にわたる支配が崩壊した余波が描かれます。火の国の植民地がまだ多く残る土の王国は、火の国の民を追放し、自分たちの土地を取りもどすことを望んでいます。けれども、祖先が植民地支配のために乗りこんだとしても、何世代にもわたってそこに住んだ火の国の民には守るべき暮らしがありました。緊張の高まりによって、武力衝突や、火の王ズーコの暗殺未遂、人種差別を理由とした大虐殺が起こり、調和回復運動も消滅してしまいます。帝国崩壊の原因が無能、革命、急速な分離独立のいずれであったとしても、その後の空白状態は、地方でも中央でも壮絶な権力闘争につながりがちです。最も正しいと自分たちが信じる体制をめぐって争いが起こるからです。

フランス革命は、自由、平等、民主主義という理念、そして専制政治への反発に支えられたものでした。けれども、流血と混沌を経てフランスの政治システムを改革した結果、政権を握ったのは王政と同じく独裁的統治をおこなった皇帝ナポレオンでした。〈ハンガー・ゲーム〉シリーズの舞台であるパネムを帝国として考えてみましょう。その新たな指導者となったコイン首相は、首都キャピトルでかつて特権階級にいた人々へ残酷な報復措置をとろうと考えていました。暴力の連鎖がつづくことを悟った主人公カットニスは、コイン首相を殺害します。復讐と報復は、帝国を消滅させたいと願う者にとって強力な動機です。特に、主要なキャラクターがストーリーのなかでこうした動機を持っている場合、それがストーリーの行方にどう影響するか考えます。その機会がついに訪れたとき、すべてを忘れて前に進ませることはできないはずです。

帝国の崩壊を軸としたストーリーは、反乱軍が一団となって帝国に立ち向かうといった展開になりがちです。

悪の王座で権力を振りかざす人物を倒すことがすべてというわけです。けれども、現実とはもっと複雑なものです。帝国の頂点にいる人物を抹殺することが、かならずしも帝国の崩壊を意味するわけではありません。ウマルはイスラム史上最も影響力のあるカリフと言われ、一〇年間にわたって最高指導者の座にありましたが、暗殺されたのちも帝国は新たな後継者のもとで拡大と繁栄をつづけました。権力の座からの追放についての考察を思い出してください。多くの場合、後継の座に就くのは支配階級の一員です。支配階級のなかから支援する者がいなければ、革命が成功することはほとんどないからです。いくつかの大陸や銀河、あるいは次元を超えて広がる巨大な帝国は、支配、通信、商業のネットワークを維持するかぎり、生き残るための変化と適応を経て存続します。反乱においてやるべきことは、いま帝国を支配している人物の抹殺だけではありません。何よりもまず、帝国の支配能力を破壊しなくてはならないのです。

まとめ

1. 帝国の崩壊は通常、数十年または数世紀かけてゆっくりと進行します。革命によって倒されるとしても、通常、その前に政治・経済が長く不安定な期間があります。急激に崩壊する場合は、ある地域の脱退が加速度的にほかの地域の脱退を引き起こします。
2. 継承争いは政治的不安定を引き起こし、内戦につながり、帝国に必要な政治的結束を破壊します。継承争いが生じるのは、権力がどのように引き継がれるかが不確実である場合です。
3. 通信網が失われると、中央政府の権威が損なわれます。これは国民同士のあいだのコミュニケーションがありすぎる場合にも起こります。過度の同化政策をおこなった場合、中央あるいは地方に権力を集めすぎた場合も反乱が起こり、帝国が崩壊に至ります。中央政府がどのような力を持ち、それを失うことによってどのように崩壊に至ったかを考えましょう。

4. なぜ人々が帝国にとどまることを選ぶのか、どのような出来事がその動機となるかを考えましょう。経済が悪化すると、失業率の上昇と生活水準の低下を招き、反乱が起こる可能性が高まります。また、政府の歳入も減少して義務を果たすことができなくなり、帝国への信頼が低下します。

5. 疫病は経済や通信網を麻痺させ、帝国の支配力を低下させます。

6. 帝国崩壊の余波は複雑です。だれが主導権を握るべきかをめぐって争いが勃発し、地方はそれまで頼っていた中央政府の支援を失います。

注

＊1 長男のロタール一世が継承した中部フランク王国は、東フランク王国（ドイツ王国）と西フランク王国（フランス王国）にはさまれていました。フランスとドイツのあいだに置かれたものは奪い合いになりやすいことは歴史が物語っています。中部フランク王国は、わずか二〇年あまりで東西のフランク王国に飲みこまれました。

＊2 アメリカの教育制度の主張とは異なり、イギリスが撤退したのは、単に費用がかかりすぎることと、当時複数の戦争を戦っていたことが理由でした。実際はもっと複雑ですが、愛国心という魔法の力だけでは戦争に勝てません。

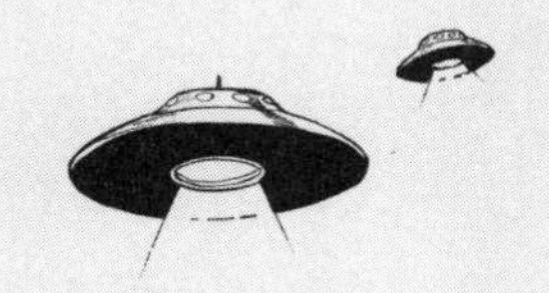

第17章

小説の構想を立てる

本章で扱う作品

『アバター　伝説の少年アン』

『バットマン vs スーパーマン　ジャスティスの誕生』

小説の構想を立てるのはむずかしいものです。どの要素から考えていくべきなのでしょうか。二〇世紀を代表する劇作家のひとりであるベルトルト・ブレヒトなら、「まずテーマを考えよ、芸術には意味が内在するものだ」と言うかもしれません。「現代ファンタジーの父」と呼ばれるトールキンは、作品を書くにあたって、まずエルフ語を作りあげました。『アバター　伝説の少年アン』の原作者であるマイケル・ダンテ・ディマーティノとブライアン・コニーツコは、設定を考える前に、まず、アン、モモ、アッパといったキャラクターの生き生きとした姿を作りあげました。読者はキャラクターたちを通してストーリーを体験するものだからです。『エヴリデイ』の著者デイヴィッド・レヴィサンは、小説に取りかかる前に、作品自体の半分もの長さになる企画案を書きます。

小説の構想を立てる方法は数多くあり、ストーリーを形あるものにするための技巧はさらに多くありますが、小説をどうやって構想すべきかを決める普遍的なルールはほとんど存在しません。そこでこの章では、わたし自身が小説を構想する方法、その方法を使う理由、そしてその利点について簡単に説明します。あなたが構想を考える上での参考になれば幸いです（ほんとうは自分の執筆方法の詳細は明かしたくないので、かなりむずかしいことになりそうです）。

建築家と庭師

世界的ベストセラー〈氷と炎の歌〉の作者ジョージ・R・R・マーティンはかつて、小説家にはふたつのタイプがあると語りました。

小説家には、建築家タイプと庭師タイプがいると思う。建築家が家を建てるときには、事前にすべてを計画する。いくつ部屋があるのか、どんな屋根にするのか、どこに電線を通すのか、配管はどうするのか、きちんと把握している。すべてを設計し、見取り図を作ってから、一枚目の板に釘を打つ。庭師は穴を掘り、種を埋めて水をやる。それがなんの種なのか、ファンタジーの種なのか、ミステリーの種なのかはわかっている。けれども、芽が出て、水をやっていても、枝が何本になるかはわからない。わかるのは木が茂ってからだ。

ここで考えたいのは、庭師と建築家のどちらがいいかではなく、ふたつのタイプのあいだのどのあたりにいるかということです。わたし自身は、以前はどちらかというと庭師タイプに近かったのですが、経験を重ねていくうちに建築家タイプに近づいていきました。いまよりずっと若いころ、わたしは登場人物、ストーリー、テーマをどこに着地させるかというしっかりしたアイデアを持たずに本を書きはじめました。漠然としたアイデアはおそらくあったのですが、書くにつれてどんどん変わっていきます。迷走しながら最後まで書いてはみたものの、また最初にもどって書き直すということを永遠に繰り返すはめになりました。当然のことですが、こんなやり方で本を完成できたことなどありません。

これは主にわたしの経験不足によるものです——小説を完成させられるだけの意欲と技術をやっと得られたのは、数えきれないほどの失敗を経てからでした。とはいえ、庭師のアプローチにともなうむずかしさも失敗の一因でした。キャラクターアーク、サブプロット、ストーリーアークのどれについてもはっきりとした帰着点を考えていなかったため、全体として説得力もまとまりもないものになったのです。はじまりと終わりがちぐはぐになったのは、終わり方を考えずに書きはじめたからです。このため、不必要にわき道へそれてしまい、キャラクターの流れが止まって説得力がなくなったり、高まった緊張感が安易な解決に至ったりすることになりました。すぐれたストーリーではありえないことです。すべて最初から書き直すものの、キャラクターアークなどの設定の要素はストーリーの構造に最初から織りこまれているため、食いちがいがなく流れるようにすることは困難です。あとから思いついたストーリービート〔脚本の中で重要な出来事やシーン〕が最初からあったようにするのも至難の業です。万策尽きたわたしは、一〇年にわたって書いては直し、修正に修正を重ねていたファンタジー作品について、二〇一八年なかばにすべてを消し去りました。

わたしにはそれが終わりでしたが、実際にはとっくに終わっていたのです。

庭師タイプの小説家がすべてこのような壁に突き当たるわけではありませんし、やり方自体に問題があるわけではありません。あなたにとってやりやすければ、このやり方で書くのもいいでしょう。庭師タイプの方法が魅力的に思えるのはよくわかります。事前にすべてを考える必要がなく、すぐに書きはじめることができるのは楽しいものです。建築家タイプのやり方のように、綿密に計画を立てるのは気が遠くなるような作業です。まだ解明されておらず、秘密も明らかになっていないストーリーに束縛されるような感じがします。これは、具体的な意図をもって事前に計画を固めすぎると、時間の経過とともに柔軟に展開させられなくなります。経験の浅い作家や、何を書くかについて考えがまとまっていない作家にとってはむずかしいことです。決断力のある人なら成果を得られるかもしれませんが、よい結果が得られるともかぎりません。

逆方向に考えてみる

わたしのやり方は建築家タイプと庭師タイプの中間のようなもので、つぎの三つのステップに分けられます。

1. クライマックスシーンを考える
2. 核となるシーンを考える
3. 三幕構成にあてはめる

クライマックスシーンを考える

わたしが書いた多少なりともよいストーリー――そうはいっても、ほとんどないのですが――はどれも、自分が気に入っているひとつのシーンを中心に構築しています。すべての作家は、自分のストーリーの決定的な瞬間を最終的には書くことができると思うものです。謎が明かされるときや、だれかが死から蘇るとき、だれかが感情の高まりのなかで死を迎えるときなどがこれにあたるでしょう。けれども、どんなシーンでもクライマックスシーンになるわけではありません。構成上の理由から、まずつぎの三つの条件を満たすシーンを考えます。

1. 第三幕のクライマックスでの緊張感を解決できる。
2. キャラクターアークを決着させられる。
3. 特別な背景で起きる。

心を病んだ友人に対する良心の痛み、苦しむことの意味、神が存在するかどうかの問題は信仰を決める際に重要か、大人になるとはどういうことか、心を病んだ友人の重荷になるのを恐れて自分も心を病んだのは秘密にしているること、セックスと恋愛は結びつけるべきかどうか——。わたしが書くストーリーの多くは、個人的に追及したいテーマや葛藤を中心に展開します。複雑で一筋縄ではいかないものばかりですが、心を揺さぶるテーマであり、文章で表現するためにさまざまな試みをおこなってきました。わたしが小説で描く対立はこうした問題を中心に展開しています。前にも書きましたが、詳細に計画を立てることは、自分の準備が整ってもいないうちからストーリーに束縛されるように感じます。ですから、わたしは自分自身が強い情熱を持っていることを中心に置いてストーリーを書くことにしています。こうしたテーマはわたし自身が人生において闘っていることであり、この内容をクライマックスシーンとすることは変えたくありません。ストーリーの中心となるものですから、クライマックスシーンを変えることはわたしにとって別の本を書くようなものです（とはいえ、まったく変更しないというわけではありません。何かを置き換えたり差し引いたりするよりも追加するほうが多くなります）。

このクライマックスシーンを小説の土台とするためには、先に挙げた三つの条件がすべて整っている必要があります。そうでなければ、ストーリーの残りの部分を構成するのに役立つものになりませんし、それ自体が強い力を持つシーンではないことが明確です。告白すると、わたし自身、クライマックスシーンのアイデアが得られることはめったにありません。ストーリーについて漠然としたアイデアが浮かんでも、キャラクターアークや設定、そしてそれをまとめる物語の構成が浮かばなければ使えないからです。

ただし、三つの条件とは、わたしが個人的に重点を置いているものです。C・S・ルイスの作品のように、主要なテーマを完全に表現できるように設定することもできますし、恋愛小説で見られるように、ふたりの登場人物の関係にストーリーの大きなビートを設定することもできます。ジャンルやそのときの考え方によっても変わりますが、わたしはだいたい、冒頭でこの三つの条件を整えるようにしています。

クライマックスでの緊張感を解決し、キャラクターアークを決着させられること。特別な背景が必要であるということ。それは、ストーリーをどこへ進めるかをはっきりさせるためです。それがわからなければ、暗闇を手探りで歩くように、行く手がわからず、つまずくばかりです。クライマックスの緊張感を解決する必要があるのは、ストーリーのはじまりから何に向けて緊張感を高めるべきかを教えてくれるからです。キャラクターアークはストーリーの柱となるものであり、ストーリーのはじまりからキャラクターが精神面でどのような方向に変化すべきかを教えてくれるからです。特別な背景が必要なのは、プロットの出来事を通して、登場人物たちがなんらかの形で物理的に行き着くべき場所だからです。

まず、何に向かって書くかの枠組みを作ります。わたしが二〇一五年に書いていたストーリーでは、ある登場人物が、自分は何も悪くないという啓示を受けるシーンを考えました。これは、ある女性が他者との緊張関係を解決したときに起こります。灯台のもとでの出来事です。

この基本的なクライマックスシーンを頭に置いて、肉づけしていきます。まず、その出来事が具体的にどこで起きたかを考えます。それはただの灯台ではなく、ドイツ北部のバルト海沿岸にあるドルンブッシュ灯台で、時刻は二〇一五年七月二一日の午後七時ごろとしました。つぎに、だれがその場にいたかを考えます。キャラクターアークを決着させるのは主人公だけではなく、テーマを展開させていく上での相手役となる女性、彼女の母親、そして一緒にヨーロッパを旅行していた主人公の兄弟です。つぎに何が起こるのかを考えます。主人公と相手の女性は、彼女と母親の緊張をはらんだ対立のあと、別れを迎えます。

誤解のないように言うと、この方法で「クライマックスシーン」を分析することは、クライマックスで起こるすべてを考え出すことではありません。けれども、物語が向かっていくこの重要なシーンを読み解くことができれば、作者を導く光となってくれます。少なくとも主要キャラクター全員のキャラクターアークははっきり考えます。この段階では、ストーリーがどのようにしてこの時点に至るのかを完全に考えておく必要はありません。ストーリーが満足のいくものとなるのは、設定されたすべての問いに対して、納得がいく回答があるときです。この手法では、ストーリーがつねにヤマ場や「答え」へ向かって進んでいると感じられます。終わりを念頭に置いてはじまりと中間部が書かれるため、全体としてまとまりが生まれます。

ザック・スナイダー監督の『バットマンvsスーパーマン　ジャスティスの誕生』が失敗作に終わった理由のひとつは、シーンではなく瞬間に焦点を当てたことです。[*1] スナップショットを集めただけでは、気のきいた決め台詞やすばらしい映像がいくらあっても、深みは生まれません。キャラクターアークを決着させることもなければ、主な登場人物の関係が盛りあがりを見せることもなく、緊張が納得のいく形で解決されることもありません。シーンではなく、瞬間がただ並べられているだけでは、ストーリーが散漫になってしまうのです。脚本を書く前に核となるシーンのはっきりとした構想があったとは思えません。あったとしても、検討を重ねたものでないことは明らかで、物語がそこへ向かうような構成になっていません。

核となるシーンを考える

クライマックスシーンが決まると、自分が何に向かって書いていくかが見えてきます。ストーリーの行き着くべき先がぼんやりとでもつかめたら、論理的かつ納得のいく形でクライマックスシーンを迎えるために必要なシーンをさかのぼって考えていきます。こうしたシーンを「核となるシーン」と呼びます。

わたしのやり方では、ストーリーの柱としてのキャラクターアークに特に重点を置いて、クライマックスシーンからさかのぼっていきます。

a．クライマックスシーンで登場人物が自然にキャラクターアークの決着を迎えられるように、心理的変化の大きなポイントをいくつか決定します。

b．ストーリーのヤマ場でクライマックスシーンが起こるように、プロット上の大きな出来事をいくつか決定します。

c．クライマックスシーンの背景となる場所に行き着くために、設定の大きな変更が必要ないか判断します。

これには、登場人物が冒頭で心理的および物理的にどのような状態にあるかを決めることも含まれます。実際の作品から例を挙げて説明しましょう。『アバター　伝説の少年アン』では、第五一話「黒い太陽の日　その2日食」で火の国の王子ズーコのクライマックスシーンがあります。ついに父親に背を向けたズーコは、自分が疎んじられてきたことを受け止め、国を追放されたのは自分のせいではないこと、父親がどう思おうと自分には取りもどすべき名誉があることを宣言します。作者たちは、これこそストーリーの最後でズーコがいるべき場所だと考えていました。そこからさかのぼると、このクライマックスシーンに至るには、つぎのことに沿って考えていく必要があります。

a．心理面での変化。アバターを倒しても真の充足感は得られないこと、最大の忠誠心を向けるべきなのは火の国ではないこと、自分にも愛される資格があること、そして自分の運命は自分で決めなければならないことにズーコは気づきます。

b．プロット上の出来事。ズーコが火の国へ帰るためには、アバターのアンを討ち取らなければなりません。ズーコに愛を注ぐ伯父アイローは、自分の運命は自分で決めるようズーコを諭します。そしてズーコは火の国に裏切られます。

c．設定の変更。火の国を追放され、アンを追って世界中をめぐっていたズーコですが、日食のあいだは火の国にいる必要があるようにしました。

クライマックスシーンに意味を持たせるためには、ズーコの心理状態として、最初はまったくちがう信念を持っていたことを描く必要があります。物理的には、アバターであるアンを捕らえるために世界じゅう追ってまわる必要があります。これらを決定することで、ストーリーのはじまりと終わりがつながります。心理面での大きな変化が起きるいくつかのポイントと、プロットでの大きな出来事が、ストーリーの「核となるシーン」を構成します。これは、最初に考えたクライマックスシーンに至るための重要なストーリービートです。「核となるシーン」は通常、二つから四つ考えます。力強い展開の瞬間は少なくとも二つなければ、クライマックスシーンをじゅうぶんに把握できていないことになります。四つを超えると、インパクトが薄れてしまいます。重要なのは、二か所から四か所のプロット上の大きな出来事が、二つから四つの心理面での大きな変化とどのようにからむかをはっきりさせることです。私の場合は、プロットの大きな出来事と大きな心理的変化を組み合わせます。これによって、プロットと心理的側面の両方を掘りさげるための核となるシーンが二つから四つできあがります。

クライマックスシーンについて理解し、そこからさかのぼって考えていくことによって、核となるシーンを細かく考えることができます。わたし自身は、心理面での大きな変化をストーリーの指標となる要素だと考えています。読者の心をとらえるのも登場人物の心理面での変化だからです。また、キャラクターアークとそれにともなう選択も重視します。わたしのストーリーの緊張感はほとんどそこから生まれるからです。わたしのやり方を試してみる際に、緊張感が生まれるのはちがう側面だという場合には、ほかの要素を優先させてもかまいません。クライマックスシーンと、二つから四つの核となるシーンが準備できたら、順序を整えて、一貫した物語を構成していきます。

三幕構成にあてはめる

三幕構成はすぐれたストーリーを書くための王道です。執筆には柔軟性も必要なので、こだわりすぎないようにはしていますが、核となるシーンを考えるには役に立ちます。研究者たちが発表してきた三幕構成についての数多くの公式と解釈は――わたしの経験では、基本的な構造以上のものはほとんどありません――すべてつぎのような共通のストーリービートがあります。

a. きっかけとなる出来事　ストーリーのなかで起こるあらゆる出来事の引き金となるもの。
b. 第一幕のクライマックス　主人公が（物理的に、あるいは比喩として）新しい状況に足を踏み入れるときに出会う最初の大きな障害です。
c. 危機的状況　主人公が最悪の状態にいます。
d. 第二幕のクライマックス　ふたつ目の大きな障害であり、ほとんどの場合主人公は挫折を味わいます。
e. 第三幕のクライマックス　ストーリーの大きな緊張が解決します。クライマックスシーンはだいたいここで起こります。
f. 結末　主人公が新しい人生を歩みはじめます。

プロット上の大きな出来事や心理的変化が三幕構成の枠にあてはまらない場合、前のステップにもどってクライマックスシーンをさらに深く見直して、あてはまる核となるシーンを探します。ほかの表現手段では、核となるシーンが三幕構造にどのようにあてはめてあるかを見るのもいいでしょう。ふたたび『アバター 伝説の少年アン』を例にとって見ていきます。

a．きっかけとなる出来事 第一話「氷に閉じ込められた少年」で、ズーコは輝く光の柱が立ちあがるのを発見します。それはアバターがもどってきたというしるしでした。

b．第一幕のクライマックス 第二〇話「北極の包囲網 その2」で、ジャオ提督に追われたズーコはアンに助けられます。火の国への忠誠心が揺らぐとともに、自分が倒そうとしていた敵はほんとうに悪者なのか疑問を持ちます。火の国はズーコを裏切ってきたのでした。

c．危機的状況 第三七話「ラオガイ湖」から第四〇話「運命の分かれ道」までのエピソードで描かれます。

危機的状況にいることは、「ラオガイ湖」でのズーコと伯父のアイロー将軍の会話に表現されています。

アイロー「それはわしがそちに聞きたい質問じゃ。アバターのバイソンを見つけて、それでどうするつもりじゃ。新しい家で飼うつもりか。お茶をいれてもてなしてやるのか？」

ズーコ「とにかく連れ出します」

アイロー「それからどうする？ そちは衝動的すぎるのじゃ！［指を突きつける］これでは北極でアバターをとらえたときと、まるで同じではないか。とらえても、どうすることもできなかった」

ズーコ「うまくいくはずでした」

アイロー「ちがう！　アバターの仲間がこなければ、そちは凍え死んでおったぞ」

ズーコ「自分の定めは知っています」

アイロー「これがそちの定めか。それとも、だれかに押しつけられた定めではないのか」

ズーコ「やめてください。こうするしかないのです」

アイロー「頼むから聞いてくれ、ズーコ。いいかげんにみずからの心と向き合い、おのれ自身に重大な問いかけをするのじゃ。自分はだれか。何を望むのか」

ズーコには、自分の運命を決めるのはだれか、自分は愛される資格があるのか、という心のなかの葛藤があります。伯父であるアイローはズーコに対してどこまでも寛容です。ズーコは父親からこれほどやさしく扱われたことはありませんでした。

d. 第二幕のクライマックス　第二シーズンの最終エピソードである「運命の分かれ道」では、ズーコは父親に命じられた生き方にまだ従うかどうか、そして自分がいるのはどちらの側なのか決断することを迫られます。自分自身の運命を決められず、愛情を受け入れることもできないズーコはこのとき最悪の状態にあります。ズーコはふたたびアバターを倒そうとし、アンは殺されたかに思われます。こののち、勝利をおさめたズーコは火の国に帰り、「名誉」を取りもどします。けれども彼の心が満たされることはありませんでした。

第四五話「砂浜」で、ズーコはこう語ります。

「父上に受け入れてもらうことをずっと願ってきた。いま父上は話しかけてくれる。わたしを英雄だと思ってる。完璧じゃないか！　わたしは幸せなはず。だがちがう。なぜだかいままで以上に腹が立ってる！……自分に腹が立ってる！」

そしてストーリーはヤマ場を迎えます。

e．第三幕のクライマックス　自分につらく当たってきた父親から認められても、心が満たされることはないとズーコは気づきます。平穏な心を得るためには、自分の運命は自分で切り開かなくてはならないのです。

ズーコは「黒い太陽の日　その２　日食」のクライマックスシーンで父親に宣言します。

「あなたに愛され、受け入れられることだけが、わたしの望みだった。求めていたのは名誉なのに、実際は、あなたの顔色だけ見てた。あなたはわたしの父親だ！　なのに、口をすべらせただけでわたしを追放した。［父親に刃を向ける］父親なのに、一三歳のわたしをアグニカイであなた自身と対決させた。子供相手に決闘などよくもおこなえたものだ！……ただの残酷すぎる過ちだ。（中略）そしてもうひとつ重大な決断を伝えておく。わたしはアバターの仲間に加わり、あなたを倒す手助けをする」

こうして大きな緊張が解決したストーリーは結末へと至ります。

f．結末　生まれ変わったズーコは、新しい人生を歩みはじめます。

さかのぼって考えていくことによって、プロット上の大きなポイントをすべて、ストーリーの緊張感の解決へと結びつけることができます。ズーコの物語からわかるように、大きな心理的変化と主要なプロットポイントは、第一幕、第二幕、および第三幕のクライマックスと一致します。設定の変更は、ストーリーのどの時点におくことも可能です。

わたし自身が小説の構想を考えるときは、核となるシーンを第一幕、第二幕、第三幕のクライマックス、そして危機的状況と並べます。主要な登場人物のキャラクターアークの瞬間とプロットポイントを組み合わせることで、より大きな感動を生み、ストーリーが自然に流れるようになります。登場人物はさまざまな経験を重ねることで精神的に成長します。このふたつが結びついていなければ、登場人物の人間としての成長を促すことができず、プロットの出来事の目的が曖昧になってしまいます。執筆中のある時点で設定を変更する必要があることがわかると、ストーリーの軌道修正が自然にできるようになります。

この方法は、並行して進行するストーリーやほかの登場人物のキャラクターアークに対しても使うことができます。ひとつのストーリーのなかで複数の登場人物のクライマックスシーンがあることは珍しくありません。ほかの登場人物のクライマックスシーンと混ざり合って第三幕のクライマックスとなるのです。

三つ目のステップの終わりには、主なキャラクターアークとストーリーの緊張感の大部分を解決するクライマックスシーンができます。また、このシーンの基盤となるシーンを三幕構成の公式に従って構成することができています。ストーリーが最高の結末を迎えられるよう願いながら書いてきたすべてが、密接につながります。

三つのステップは、建築家タイプのやり方に近いと思われるかもしれませんが、ここでわたしの内なる庭師が存在感を増していきます。自分のストーリーがどこからはじまり、どこで終わるのかを理解し、その二点をつなぐ核となるシーンをどのようにすべきかの構想ができあがれば、自然に執筆は進んでいきます。庭師タイプの作家の多くが直面している問題は、文章が悪いことではなく、方向性が欠けていることです。建築家タイプの作家が直面する問題のひとつは、綿密に立てた計画に束縛されて、変更を加えたほうがよくてもそれができないことです。

まとめましょう。

1. クライマックスシーンを考える　ストーリー全体のドラマチックな感情の流れの頂点となる第三幕のシーン。
2. 核となるシーンを考える　クライマックスシーンにつながる二つから四つのプロット上の大きな出来事と二つから四つの心理的変化を決定します。
3. 三幕構成にあてはめる　核となるシーンを整理して、第一幕、第二幕、第三幕のクライマックスと危機的状況に当てはめます。

この方法によって、原因と結果を強く意識した一貫性があるストーリー作りのための方向性が得られ、計画に束縛されることのない柔軟性を持つことができます。

注

＊1 この映画についてわたしよりもうまくまとめてあるのが、YouTuber の Nerdwriter1 の動画「Batman v Superman: The Fundamental Flaw」(https://youtu.be/38Cy_Qlh7VM?si=Hx8eVMTFWDgJ8ady) です。

訳者あとがき

フォースの力で銀河の平和を守る。世界を滅ぼす力を秘めた指輪を捨てるために、仲間とともに滅びの山へと向かう。キングズ・クロス駅の九と四分の三番線から魔法学校へ向かう列車に乗りこむ――。

不思議な力が存在する魔法の世界、ナショナリズムが支配する監視社会、コンピュータが作りあげた仮想現実の世界など、寝食を忘れて没頭してしまう作品は、入念に作りこまれた世界観が大きな魅力となっています。

あなたも、そんな世界の創造主になりたくはありませんか？

この本では、ヒーローと敵役、マジックシステムなど、独自の世界観を構築するためのさまざまな要素や、あなたが作りあげた世界を読者や観客にとって納得できるものにする技巧について、〈ハリー・ポッター〉や〈氷と炎の歌〉はもちろん、DCやマーベルのヒーローもの、さらには『もののけ姫』や『鋼の錬金術師』をはじめとする日本の作品など、小説やテレビドラマ、映画、アニメ、ゲームから例をとって解説しています。

あなたの構想にあるのはどんな世界でしょうか。その世界はどんな環境で、どんな民族や動物が生息し、どんな文化や習慣、宗教、政治制度があるのでしょうか。没入感が高い世界を作り出すためには、想像力のほかに、さまざまな文献にあたり、現実世界の歴史を学ぶこともたいせつだと、筆者のティモシー・ヒクソン氏は主張しています。最終章の「小説の構想を立てる」では、ストーリーを形づくる方法が実体験をまじえながら段階ごとに説明されています。これから物語を書こうという人にとって貴重な資料であり（ほんとうは執筆方法の詳細は明かしたくないそうなので)、非常に参考になる内容です。

ティモシー・ヒクソン氏は一九九五年ニュージーランド生まれの二八歳。登録者数一〇九万人を誇る自身のYouTubeチャンネル「Hello Future Me」では、執筆と世界観構築について、生き生きと親しみやすい口調で語っています。残念ながら日本語には対応していませんが、その熱い雰囲気は感じることができるはずです。みずからオタクと称するように、お気に入りの作品を解説する熱狂ぶりに、思わず引きこまれること請け合いです。その熱量は、当然ながらこの本にも引き継がれています。特に、心から愛していると公言する作品に対しても、冷静な分析のもと、納得いかない点について真摯に批評する姿勢は、ただの解説にとどまらない本書の特徴のひとつと言えます。

YouTubeチャンネルの内容をまとめた本書はすでに三万五千部以上を売りあげていて、二〇二一年に第二弾、二〇二三年には第三弾が刊行されるという好調ぶりです。

最後に。作家は自分が書きたいこと以外はいっさい書く義務はない——ヒクソン氏は、この主張を繰り返し述べています。書きたいことを書いて、あなた独自の世界観で人々を魅了できるとしたら、すばらしいことだと思いませんか? 本書からそのヒントが得られることを願っています。

二〇二四年二月一五日

佐藤弥生・茂木靖枝

[著者]
ティモシー・ヒクソン（Timothy Hickson）
作家・YouTuber。YouTubeチャンネル「Hello Future Me」を運営し、執筆と世界観構築に関する情報を提供している。同チャンネルのコンテンツをもとに本書および『On Writing and Worldbuilding: Volume II』『On Writing and Worldbuilding: Volume III』を執筆。創作術に関する書籍のほかに、短編小説集『A Catalogue for the End of Humanity』を発表している。

[訳者]
佐藤弥生（さとう・やよい）
英日翻訳者。幼少期を返還前の香港で暮らす。商社などの勤務を経て、国内メーカー、在日米海軍などで二〇年以上技術翻訳に携わる。訳書に『映像編集の技法』『「書き出し」で釣りあげろ』『感情を引き出す小説の技巧』（以上フィルムアート社／共訳）、『ダイヤモンドを探せ』（KADOKAWA）などがある。本書では、第3章、第4章、第12章〜第17章の翻訳を担当。

茂木靖枝（もぎ・やすえ）
英日翻訳者。ロンドンで英語とコンピュータを学ぶ。金融系システム会社や翻訳会社などの勤務を経て、現在は産業翻訳から出版翻訳まで幅広く手がける。訳書に『映像編集の技法』『「書き出し」で釣りあげろ』『感情を引き出す小説の技巧』（以上フィルムアート社／共訳）、『ザ・シークレット・オブ・ジ・エイジズ』（KADOKAWA）などがある。本書では、まえがき、第1章、第2章、第5章〜第11章の翻訳を担当。

読者を没入させる世界観の作り方

ありふれた設定から一歩抜け出す創作ガイド

2024年3月30日　初版発行

著者　ティモシー・ヒクソン
訳者　佐藤弥生+茂木靖枝

デザイン　戸塚泰雄（nu）
装画・挿絵　河野別荘地

日本語版編集　伊東弘剛（フィルムアート社）

発行者　上原哲郎
発行所　株式会社 フィルムアート社
〒150-0022
東京都渋谷区恵比寿南1-20-6　第21荒井ビル
tel　03-5725-2001
fax 03-5725-2626
https://www.filmart.co.jp/

印刷・製本　シナノ印刷株式会社

Printed in Japan
ISBN978-4-8459-2312-0 C0090